LOS HOMBRES LAS PREFIEREN CON CURVAS

DR. PIERRE DUKAN

Los hombres las prefieren con curvas

EL NUTRICIONISTA MÁS INFLUYENTE
REFLEXIONA SOBRE EL PODER
DE LA FIGURA FEMENINA

mr ediciones martínez roca

Obra editada en colaboración con Ediciones Planeta Madrid, S. A. – España

Diseño de portada: Alejandra Ruiz Esparza Fernández
Fotografía de portada: LatinStock México

Título original: *Les hommes préfèrent les rondes*

Bajo el sello editorial MARTÍNEZ ROCA M.R.
Avenida Presidente Masarik núm. 111, 2o. piso
Colonia Chapultepec Morales
C.P. 11570 México, D.F.
www.editorialplaneta.com.mx

Primera edición impresa en España: marzo de 2012
ISBN: 978-84-270-2601-8

Primera edición impresa en México: abril de 2012
ISBN: 978-607-07-1113-8

Impreso en los talleres de Litográfica Ingramex, S.A. de C.V.
Centeno núm. 162, colonia Granjas Esmeralda, México, D.F.
Impreso en México – *Printed in Mexico*

ÍNDICE

A Christine, que sin saberlo me impulsó a escribir este libro.
A Maya y a Sacha, a Sacha y a Maya, que deben su existencia
a la belleza y a la redondez de su madre, y sin quienes
mi vida habría tenido mucho menos sentido.
Y al poeta Jean-Marc Natel, sin el cual este libro
todavía estaría en los cajones de mi escritorio.

PRÓLOGO

La elección del título de un libro es siempre un momento decisivo para su autor. Se trata de resumir en unas pocas palabras reveladoras entre doscientas y trescientas páginas de exposición.

Así, cuando afirmo que «los hombres las prefieren con curvas», es un eufemismo, y habría debido añadir, pero no tenía espacio para ello, que nunca han tenido elección. Y en esta pequeña frase complementaria está todo el fondo de mi pensamiento.

En tu caso, lector o lectora que tienes este libro en las manos, puedes, de inmediato, tener el sentimiento intuitivo de estar de acuerdo o en desacuerdo con una afirmación tan general. Pero entre ustedes hay, sin duda, hombres o mujeres que pensarán que he entrado de manera un tanto apresurada y probablemente impetuosa en el territorio de sus gustos más íntimos; y que la diversidad de opiniones y atracciones se presta mal a una generalización tan radical.

Semejante reacción probaría que, de manera instintiva, sitúas sin duda estos gustos en las fuentes mismas de la sexualidad y que nadie tiene derecho a formular en tu lugar un juicio sobre gustos tan personales.

Para evitar cualquier malentendido, debo precisar desde este mismo instante que el tema central de este libro se sitúa en un nivel distinto de la elección individual y que mi planteamiento consiste en calibrar una característica y un modo de comportamiento propios de la especie humana.

Cuando se habla de sexualidad, se tiene siempre tendencia a limitar el enunciado a la sexualidad humana. Sin embargo, cuando un biólogo o un zoólogo dirige una mirada objetiva al grandioso espectáculo de las especies que viven o han vivido sobre la tierra, no puede menos de constatar que la invención de los dos sexos, macho y hembra, es un maravilloso hallazgo concebido por la naturaleza para que cada una de las especies trabaje de manera inconsciente e irresistible en su propia reproducción.

Cualquiera que sea la especie de que se trate, incluida la humana, para que el sexo masculino y el sexo femenino puedan representar sus respectivos papeles, deben presentar siempre los tres caracteres universales siguientes:

1. Los dos sexos no deben parecerse. Serán dos polos lo más diferentes posible.
2. Cada diferencia debe ser un signo de reconocimiento que anuncie automáticamente el sexo de quien lo emite.
3. Cuanto más marcada sea esta diferencia, más magnética será y más atraerá al compañero del sexo opuesto.

Este modo de funcionamiento se aplica a todos los animales sexuados que viven sobre la tierra. Es una fatalidad biológica pura y simple, por lo cual sería de lo más ridículo invocar el libre arbedrío de cualquiera de los animales involucrados. Como ejemplo, a nadie se le ocurriría preguntarse si la leona prefiere a su macho con melena o sin ella.

Si fuera posible escribir una historia del orgullo humano, nos daríamos cuenta de que su hilo conductor ha sido siempre la negativa a admitir con modestia su pertenencia al resto del reino animal.

Los tiempos modernos han abierto, sin embargo, con dinamita, una brecha en esta muralla de desdén, y no tenemos más remedio que admitir que existe sin duda una «naturaleza humana» que también se rinde a las leyes generales de los seres vivos.

Nuestra especie no es una excepción y cuenta con sus dos sexos que, desde luego, han funcionado con la misma eficacia que en todos los demás casos, ya que, dos millones de años después de su creación, yo, uno de sus modestos representantes, estoy aquí para escribir estas líneas. Y esta suprema evidencia comporta de paso la de las diferencias entre los sexos y sobre todo el poder natural de atracción de estas diferencias.

Este libro tiene como objetivo interesarse por una de estas diferencias: una característica muy especial que siempre ha marcado a la mujer. Se trata de la redondez específicamente femenina.

Para evitar toda confusión y calibrar esta particularidad con el máximo de precisión, es conveniente decir que no se tratará aquí nunca de peso, de pancita y mucho menos de obesidad. El peso, la grasa son atributos neutros, sin ninguna incidencia sexual, existen de igual modo tanto en el hombre como en el niño o en el animal.

La redondez de la que hablo es una redondez especial, propia de la mujer, y repartida concretamente en sus caderas, sus muslos, sus pechos, el contorno de su rodilla y el modelado de su rostro.

Sostengo, pues, en virtud de una de las reglas más elementales de la vida sexuada universal, que esta redondez es una de las diferencias que distinguen a la hembra humana; que es incluso una de sus mejores señales, y concluyo, en función de esta misma lógica del ser vivo, que esta característica altamente distintiva no puede ser más que muy atractiva.

Si pensara que esta afirmación te resulta suficiente, mi libro se habría quedado en esta única página. Pero, como somos miopes constitucionales, vivimos con la nariz tan pegada a las evidencias que ni siquiera nos damos cuenta ya de que están ahí. Entonces, ha habido que desarrollar y pasar a las pruebas.

Para eso se tiene que comenzar por explorar un dominio que está aún en manos de los investigadores: el de la comunicación no verbal, la única que se utiliza en el resto del mundo animal, y de la que el hombre intenta renegar sin cesar, pero en vano.

He llamado, pues, a declarar como testigos a algunos animales escogidos deliberadamente en el seno de especies que se comunican de manera muy expresiva en un territorio sensorial concreto. Las aves para el sonido, las ratas para el olfato y los peces para lo visual. No hay más que verlos comunicarse sexualmente para comprender todo lo que les debemos.

Pero lo que compartimos con ellos no debe hacernos olvidar lo que tiene de único la sexualidad de nuestra especie. La mujer se ha mostrado indecisa durante mucho tiempo en emerger de su herencia simiesca y, súbitamente, aprovechando mutaciones providenciales, se ha incorporado para convertirse en la única hembra terrestre que hace el amor frente a frente. Sus pechos, sus caderas, sus muslos hicieron su aparición, y su pelo desapareció para no echar a perder el espectáculo.

Esta historia es la más bella que conozco. Una vez revelada, no es posible ya dudar del papel de la curva y de la luminosidad femeninas; y ya no es posible cerrar voluntariamente los ojos ante estos atributos mágicos.

Pero ahora quedaba por explicar lo inexplicable. ¿Cómo, después de ochenta mil generaciones de adoradores de la redondez, que respondieron a ella «sin chistar», dos generaciones sucesivas se permitían rechazar semejante atributo? ¿Cómo el tabú de las curvas ha podido infiltrarse en un bastión tan biológicamente protegido?

Debo confesar que esto no ha sido fácil. Ha sido necesario que las fuerzas culturales que libraban combate fueran de una singular violencia; sin embargo, todo ha sucedido de manera oculta y silenciosa. El inconsciente colectivo femenino debe de estar especialmente bien insonorizado.

Por muy grande que sea la tentación que siento, no puedo decirte más y revelar aquí mismo quién libraba la batalla. Para sacar a los verdaderos responsables a la superficie he tenido que sumergirme en las competencias de la cultura occidental y, ahí, he comprendido que la prohibición actual de la redondez no era más que uno de los engranajes de la conspiración que hoy amenaza con reducir la diferencia entre los sexos.

Inconscientemente, nuestra civilización tiende a favorecer una consigna que se inclina a feminizar a los hombres y virilizar a las mujeres.

Cuando una especie está lo bastante debilitada para dejarse tentar por cánones tan corrosivos, no es menester ser un experto para oler la decadencia.

Pero, si bien las mujeres han aceptado la idea de semejante amputación, estoy lejos de pensar que la naturaleza les haya dado los medios para hacer realidad sus deseos. Y los hombres saben perfectamente que la mayoría de las veces lo que hacen es sufrir en vez de adelgazar.

Con ellos, y para ellos, quiero creer que la sensatez, o como mínimo el instinto más elemental de conservación, no impedirá nunca que los hombres las prefieran con curvas.

PRIMERA PARTE

CURVAS Y NATURALEZA

En 1850 no había un alma sobre la tierra que pensara que el hombre y el mono fueran primos.

Hoy ya no es posible ponerlo en duda, pero resulta cómico constatar que esta verdad inquietante ha sido admitida de manera abstracta, un poco a la manera del niño que aprende de memoria una fórmula aceptada como auténtica porque procede de un maestro respetado.

No se ha extraído ninguna consecuencia de ello en la conciencia colectiva. Los únicos que profundizan en la naturaleza animal del hombre son algunos investigadores, biólogos o etólogos, y sus descubrimientos, que huelen un poco a azufre, son siempre difíciles de exponer al gran público.

El más grande de todos estos escándalos no ha estallado todavía más que en el medio muy cerrado de las ciencias humanas, pero contiene una carga tan explosiva que hay gente, considerada moderada y sensata, que se enfrenta en una verdadera guerra de religión.

¿Cuál es, pues, ese escándalo?

Se trata simple y llanamente de una inversión de prioridades. Hasta ahora, solo el espíritu tenía nombre humano. Nuestra naturaleza animal y nuestros instintos eran considerados vestigios desaparecidos ante el milagro de la inteligencia y el lenguaje. Desde que existen las religiones y las filosofías, esta opinión pasaba por ser verdad.

La bomba biológica revela, y hay pruebas que así lo corroboran, que lo que decide, motiva, da razones para vivir y para no morir, lo que nos empuja a amar, a envidiar, a luchar o huir; nuestras angustias, nuestras emociones, nuestras atracciones, nuestra necesidad de venerar a ídolos o a dioses: que todo eso procede pura y simplemente de nuestra naturaleza animal. El espíritu y la razón, maravillosas herramientas de adaptación, rara vez sirven para decidir y menos aún para motivar. En el mejor de los casos, nos permiten explicarnos y encontrar los medios para hacer realidad nuestras aspiraciones. En el peor, las ocultan o se oponen a ellas.

Esta revelación suscita un profundo desconcierto en los espiritualistas que reinaban incondicionalmente sobre las ciencias humanas y conduce inevitablemente a revisiones desgarradoras.

Pero encuentra su mejor ilustración en la comunicación sexual. Cuando el hombre y la mujer emergieron de la animalidad no tenían lenguaje y, sin embargo, su comunicación debió de ser muy eficaz, ya que estamos todavía aquí para debatir al respecto. Hoy hablamos de una manera tan sofisticada que podría parecer absurdo haber conservado estos intercambios arcaicos.

Y sin embargo, es así. Cuando un hombre de nuestros días se siente atraído por una mujer, hasta el punto de trabar amistad con ella, es el escenario de un doble discurso. El discurso consciente, que tú conoces tan bien como yo, y un repertorio superficial de buenas razones bien construidas y salpicadas de lógica y de argumentos decisivos. Pero solo a través del discurso oculto, y por tanto inconsciente, actúan las fuerzas magnéticas de atracción y se perfilan las elecciones decisivas. Ahora bien, y esto es lo más inquietante, casi me da vergüenza decirlo: estas decisiones, a veces cargadas de consecuencias, no son más que respuestas a un montón de señales biológicas más o menos aparentes y que son percibidas únicamente por los órganos de los sentidos.

No todos estos mensajes son conocidos todavía, pero su inventario está elaborándose. Actúan principalmente en cuatro registros:

El visual: que percibe las formas, los contrastes, los gestos y los comportamientos más expresivos.

El olfativo: con un mundo desconocido de olores que resultan ser más personalizados que nuestras huellas dactilares; los biólogos nos aseguran que tendrían un papel decisivo de fijación y de marcación en el desarrollo del estado amoroso.

El auditivo: con su percepción sintética de una maravilla tan compleja como la voz humana, con su timbre, su calidez y su carga emocional, que explican más allá de todo análisis nuestras atracciones o nuestras repulsiones por ciertas voces concretas.

Y por último, el táctil: que explica las impresionantes proezas de la comunicación de los ciegos de nacimiento y que un día nos permitirá comprender aforismos tan inquietantes como: «Sentir a alguien bajo la piel».

Este coctel de olores, formas, timbres y consistencias puede parecer trivial. Puedo afirmar sin embargo que es el que decide, el que pone en marcha el proceso vital que desembocará en el amor si, como es sumamente probable en este caso, los orgasmos respectivos se responden mutuamente.

Todo lo demás no es más que verbosidad, falsas razones, excusas. Se echará mano de la buena educación, los títulos académicos, el refinamiento indumentario, la inteligencia, la cultura, las religiones, los buenos modales, pero todos estos adornos nunca resultan convincentes. Entonces, se utiliza una palabra mágica: «Encantamiento». Y ahí tenemos la más grande y la más inocente de todas las confesiones. El encantamiento no quiere decir nada, no tiene ningún sentido racional. Expresa simple y llanamente el hecho de que el coctel ha surtido su efecto, y allí donde hacía falta. Pero este encantamiento es discreto, actúa en la inconsciencia total, dejando púdicamente todo el protagonismo y el triunfo al intelecto.

La redondez es precisamente uno de los elementos de este coctel. Pienso incluso que es su ingrediente principal. Solo el perfume natural y sexual puede disputarle a veces el primer lugar.

Pero entonces, ¿cómo explicar que nuestra civilización occidental imponga desde hace veinte años un tabú de las curvas y un tabú aún más estricto del olor? Los jeans unisex y el desodorante químico, ¿no son los símbolos más demostrativos del adelgazamiento de las formas y los olores?

Es difícil escapar a la conclusión lógica de que nos hallamos en presencia de un verdadero intento de sabotaje. No lo pasaré por alto en la segunda parte de este libro. Por el momento, es preferible exponer los materiales y las pruebas que convencerán de la existencia de este famoso coctel. Y ese es el objeto de este capítulo.

Aunque al lector no le gusten los animales, le pido que tenga paciencia y lea con atención las páginas que siguen. No es un rodeo inútil, pues hay un poco de nosotros mismos en estas reacciones instintivas, en este lenguaje no verbal que da la clave de nuestras pulsiones y de nuestras motivaciones fundamentales.

LA COMUNICACIÓN NO VERBAL EN EL MUNDO ANIMAL

Cuando un perro mueve la cola, emite una señal de amistad y de buen humor. Este movimiento, que no puede controlar, es totalmente inconsciente, pero tiene un sentido y, si se dirige a otro perro, será percibido como tal. Sin ninguna duda, este segundo perro reaccionará de la misma manera y los dos acabarán jugando juntos sin agresividad.

Cuando un gato mueve la cola, emite una señal de hostilidad y el niño que persista en hacerlo enojar podría lamentarlo mucho. Otro gato, en cambio, lo percibiría por instinto y se dispondría o bien a huir, o bien a atacar.

Estas dos reacciones demuestran que una misma señal puede adquirir diferentes significaciones según la convención propia de cada especie. Pero tienen en común un mismo modo de funcionamiento. De un extremo a otro de la escala animal se encuentran siempre signos emisores, a los que Konrad Lorenz llama «desencadenantes», que serán decodificados por los receptores y estimularán instintos comunes a todas las especies. Nosotros no escapamos a ello, y las curvas femeninas son uno de los mensajes más expresivos a los que los hombres sienten la tentación de responder.

El repertorio sensorial es otro vínculo universal que compartimos con el resto del mundo vivo. Salvo algunas raras excepciones, todo lo que vive sobre el planeta emite para ser captado por los cinco sentidos. Cada especie tiene sus preferencias. El hombre ha escogido deliberadamente la vista y el oído. Lo cual nos permite ser los señores de lo audiovisual. Pero los ciegos nos demuestran claramente que también reaccionamos al olor, al tacto y al gusto. Tal vez sea cierto que esas posibilidades se han atrofiado parcialmente en el transcurso de nuestra evolución, pero lo que queda de ellas ha sido desacreditado y reprimido. Sin embargo, ten la seguridad de que continúan actuando a regañadientes.

En este capítulo he utilizado algunos ejemplos de animales dotados de una comunicación limitada en un sentido concreto, lo que permitirá que la demostración sea más precisa. Es indispensable que comprendas este mecanismo, porque, cuando llegue el momento, cuando crucemos el no Rubicón que separa al hombre de las otras especies animales, muchos de los misterios perderán parte de su consistencia. Entonces será el momento de mirar con ojos nuevos las curvas femeninas y de concederles su verdadera significación.

La comunicación olfativa: los olores mensajes

El mundo de los olores es el más excepcional que existe, y de manera muy especial para el hombre, que lo percibe gracias a las zonas más arcaicas de su cerebro.

Una opinión muy extendida quiere hacernos creer que somos unos desfavorecidos y que nuestro olfato está atrofiado. Esto es cierto en parte, y para convencernos de ello no hace falta más que interesarse por las prestaciones de un perro policía al que un simple pañuelo le permite seguir por kilómetros la pista de un malhechor fugado.

Pero lo que hemos perdido cuantitativamente sigue existiendo en nosotros cualitativamente. El drama es que vivimos nuestras experiencias olfativas de manera totalmente inconsciente.

Y así a veces nos ocurre que tenemos sobre personas y situaciones unas impresiones que calificamos de instintivas y para las cuales buscamos por desgracia explicaciones racionales. Sin embargo, es inútil buscar: estas explicaciones no existen. Una simpatía por un vecino, una atracción por una mujer antes incluso de haber hablado con ella, todo eso no puede ser descifrado por nuestro cerebro-computadora. Entonces, privados de este poder explicativo que se ha convertido en nuestra razón de ser, hablamos de simpatía, de encanto o de buenas vibraciones. Lo que viene estrictamente a ser como no decir nada, y más nos valdría callarnos y olfatear mejor lo que nos llega por la nariz. Una expresión tan simple y elocuente como «percibir a alguien» dice mucho más al respecto que todas estas confesiones de ignorancia.

En ningún otro lugar está tan bien camuflada esta mistificación como en nuestras relaciones sexuales. Es en este campo en el que nuestro olfato funciona con la mayor eficacia; pero por desgracia es ahí donde nuestra educación y nuestra cultura nos vuelven más ciegos a todos estos mensajes. Y digo «ciegos» porque esta palabra viene a la mente espontáneamente y porque el uso lingüístico autoriza esta pérdida de información. El término traiciona sin duda nuestra vieja costumbre de desechar ciertos sentidos en beneficio de nuestra «soberana visión».

No voy a decir más aquí sobre el papel de los olores en la elección de la pareja sexual. Desarrollaré este tema, pero, por el momento, me serviré de dos ejemplos sorprendentes de este tipo de comunicación en el mundo animal. Estos ejemplos, por muy interesantes que sean, están destinados solamente a hacerte sentir cómo puede suceder esto en otras especies.

Son preferibles a toda demostración y permiten fácilmente concluir constatando lo que nos queda de común con esos animales que nunca se han avergonzado de su olfato.

El aerosol cautivador del bómbice

La hembra de cierto tipo de mariposa, bien conocida de los especialistas, tiene la posibilidad de secretar bombicol, una molécula química muy sencilla que no interesa a ninguna otra especie de insecto que viva en el mismo territorio. El hombre no la percibe ni siquiera en su concentración habitual. Esta insignificante secreción se diseminará en la atmósfera y hará temblar las antenas de todos los machos que se encuentran en un radio de algunos kilómetros. Cuando el macho recibe este olor mensaje, se asiste a un verdadero «derroche de actividad muscular» que refleja una turbación intensa. A partir de ese momento, su único objetivo será seguir la corriente de aire que le ha llevado ese mensaje. El recorrido a contracorriente de una ligera brisa puede parecernos fácil para una mariposa, pero en realidad se trata de una verdadera proeza que recuerda con una gran analogía a la de los salmones de río, peces grasos bien conocidos que pierden en sus luchas contra la corriente buena parte de sus reservas.

Una de las características de este comportamiento es que el macho, en su empeño frente al viento, no ha visto a la hembra emisora. No sabe en absoluto qué le empuja a afrontar tamaña adversidad. Ni siquiera sabe que está bajo el encantamiento de un mensaje químico. Vuela con la última energía, sostenido por el olor cada vez más pronunciado del bombicol, cuya concentración aumenta a medida que se acerca a la hembra emisora.

Pero, además, no es nunca el único que ha sido afectado por este aerosol cautivador. Desde tan lejos como haya llegado el mensaje, los machos acuden con una absoluta inconsciencia de lo que les espera.

Las mariposas no tienen la suerte de poseer conciencia, pero aunque la tuvieran, es probable que no supieran por qué ni adónde corren con tanto apresuramiento.

Intentemos sin embargo la experiencia y prestémosles por un momento nuestras posibilidades de razonamiento altamente sofisticado. No tendrían entonces ninguna dificultad para encontrar buenas razones para esta intensa necesidad de desgaste físico. Un gran número de entre estos machos podrían invocar la necesidad de hacer deporte, otros, la afición por los viajes y el descubrimiento. Por último, estoy seguro de que un buen número de ellos no tendrían ningún inconveniente en recurrir a un concepto tan vacío de sentido como el «gusto por la acción».

Me he permitido pasar de la mariposa al hombre sin transición, pues nuestra negativa a admitir este género de mensaje y muchos otros, tan naturales, nos impulsa a inventar mentiras racionales y crear coartadas que se desploman como castillos en el aire y caer en el mayor de los ridículos cuando se conoce la simple y prosaica verdad.

Nuestra mariposa macho, al final de su camino, creyendo ir en busca de su solo placer, acabará llegando a su destino.

Allí, entre cientos de otros machos, descubrirá a esa hembra cuyo olor por sí solo, transportado por los vientos, ha sido sin duda el desencadenante natural de una pulsión común a todas las especies. Pero para él, si conservara por un momento más el poder de razonamiento que le hemos prestado, se trataría del más grande de los azares, o de la más extraordinaria de las coincidencias.

De ahí a hablar de predestinación del encuentro, de sentimientos premonitorios o de otras sandeces que estamos acostumbrados a oír en el seno de nuestra especie, no habría más que un paso, pero me gustan demasiado las mariposas blancas para atribuirles nuestras aberraciones.

«Se ha calculado que, si una sola hembra de mariposa liberara de una sola vez todo el bombicol que contiene, podría atraer de inmediato teóricamente a más de mil millones de machos.» Por supuesto, no es esto lo que ocurre, pues la especie desaparecería de inmediato víctima de la virilidad agobiante de sus machos.

El universo oloroso de las ratas

El ejemplo de la mariposa literalmente hechizada sexualmente por el olor de su amada no puede ofrecer mejor ilustración de la comunicación olfativa. Pero habrá quien pueda respondernos que este pequeño animal no es nada más que un insecto, y que estamos lejos de él en el camino de la evolución.

Para evitar esta objeción, he escogido a las ratas, auténticos mamíferos, con el fin de rematar la toma de conciencia de este tipo de comunicación.

Las ratas representan una de las especies más inquietantes y más crueles que existen sobre la tierra. Comparten con el hombre el siniestro privilegio de considerar como enemigos a quienes no pertenecen a su grupo y de poder matarlos sin ninguna inhibición en el curso de luchas de rivalidad.

Las ratas viven en nutridas bandas provenientes en general de la multiplicación de una sola familia; todos sus miembros están emparentados y viven entre ellos una vida de extremo pacifismo. Las diferentes madres agrupan a sus camadas en el mismo nido y no parecen reconocer a sus crías. No hay jefe, ni siquiera jerarquía en el interior de la superfamilia.

A la vista, todo respira calma, y no existe nunca lucha entre los miembros de ese clan. El alimento se caza en común y su reparto es equitativo. Ni siquiera hay lucha seria por la posesión de las hembras, que no pertenecen a nadie, pues la promiscuidad sexual es total.

Si se intenta comprender cuál es la razón profunda de esta hermosa armonía, de este pacifismo, se descubre, y esto es lo que nos interesa, que el aglutinante de esta sociedad es el olor. En efecto, las ratas de un grupo no se reconocen individualmente, no distinguen ni a su madre ni a sus hermanos o hermanas, y menos aún a su padre. Pero lo que sí saben por instinto es que son todas del mismo grupo, y esto no lo comprenden, lo perciben con su gran hocico, pues en el seno del mismo clan tienen la costumbre de mezclar sus secreciones tocándose y marcando su territorio común con sus orines y sus excrementos.

Se marcan también a ellas mismas orinando unas sobre otras, y este intercambio permanente establece un coctel superoloroso en el seno del cual se sienten seguras y llevan una vida apacible.

En esta tranquila colonia donde reina el olor de familia, un inevitable drama ocurre cuando una rata extraña se extravía en este territorio. Lo que las ratas pueden hacer en tales ocasiones supera en horror a todo lo que se puede observar en los animales. La rata forastera puede pasearse durante unos instantes, hasta que se aproxima lo bastante cerca a una de ellas para que su olor diferente sea detectado. Este olor extraño actúa como una señal muy potente que desencadena «un grito agudo» de una tonalidad satánica, repetido en coro por los miembros de la tribu. Entonces, con los ojos desorbitados por la excitación, los pelos erizados, todas las ratas se abalanzan sobre la recién llegada y se entregan a una sesión de linchamiento especialmente atroz.

Lo mejor que le puede pasar a esa pobre rata extraviada sigue siendo que muera de miedo bajo el efecto de un choque nervioso, como se ha podido observar a menudo. En caso contrario, será literalmente desgarrada viva, acosada y mordida por todas partes. «Es raro que se pueda leer con tal claridad en la expresión de un animal la desesperación, el pánico y al mismo tiempo la certeza de una muerte horrible e inevitable.» La fascinación de semejante situación le impide incluso defenderse, mientras que en cualquier otra ocasión la rata puede ser muy agresiva, y terriblemente peligrosa.

Para asegurarse de que el olor era lo único que estaba en el origen de esta detección rápida, Eibesfeld separó a una rata de su comunidad y la lavó hasta quitarle todo mensaje oloroso. Después de este «lavado» de apariencia inofensiva, fue colocada de nuevo en su territorio, y la ausencia de su olor protector la puso inmediatamente fuera de la ley. Si escapó de una muerte horrible fue gracias a la benevolencia del investigador.

Esta misma rata, rebozada de nuevo con un poco de tierra y algunos brotes sacados del nido de su recinto, recuperó con bastante rapidez el olor de su familia y, devuelta a su territorio, incluso después de varias semanas de ausencia, fue aceptada sin ninguna reticencia.

Así pues, las ratas viven en un mundo de olores en el que lo alimentario, lo sexual, la vida y la muerte dependen de unas pocas moléculas químicas de más o de menos, que su enorme hocico, inquietante radar, detecta sin ningún error posible. Sus otros sentidos funcionan ciertamente también y les aportan su parte correspondiente de información, pero el olfato ha tomado el poder y domina como un tirano una gran parte de su comunicación.

La comunicación auditiva en las aves

Las aves se expresan a menudo entre ellas por medio de señales sonoras. ¡Quién no conoce los piares, los silbidos, las piadas, los arrullos de los ruiseñores, los pinzones o las palomas!

Todos estos sonidos son portadores de mensajes y no son juegos de azar. Los criadores de aves y los especialistas en el comportamiento animal lo saben: el quiquiriquí del gallo en un corral está cargado de sentido para las gallinas que lo rodean.

El ejemplo que he elegido, para ilustrar con la mayor intensidad esta comunicación auditiva, tiene que ver con la pava y sus pavipollos.

Wolfgang y Margaret Schleidt, colaboradores del profesor Konrad Lorenz, trabajaban con pavas que se habían quedado sordas debido a otro experimento. Estas pavas, al margen de su sordera, tenían un comportamiento sexual y social perfectamente normal. Tuvieron, pues, la posibilidad de poner y de incubar sus huevos. «Pero, cuando sus polluelos rompieron el cascarón, el comportamiento maternal de estas hembras resultó estar perturbado de manera absolutamente dramática. Todas las pavas sordas mataron, sin otras formalidades, a sus crías, inmediatamente después de la eclosión, a picotazos.»

La observación de un comportamiento tan aberrante incitó a estos investigadores a postular que, en estado normal, la única comunicación posible entre la pava y sus pavipollos debía de ser auditiva.

Una pava normal, que acaba de incubar huevos y que ve aparecer por primera vez un pequeño polluelo afelpado, no sabe todavía que ese polluelo es su cría. Como todas las pavas, y durante el periodo de incubación, su estado hormonal la vuelve especialmente agresiva hacia lo que sucede dentro de su campo visual, y ataca a todos los objetos que se mueven cerca del nido. Será también feroz con un hámster, un gato, un hurón o su propio pavipollo.

Pero, cuando ese mismo pavipollo ve a su madre abalanzarse sobre él, emite instintivamente la piada característica de su especie, y es este pequeño grito lo que desactiva de inmediato la agresividad de su madre y desencadena su comportamiento maternal. Súbitamente, la pava responde a esta piada con un cloqueo de «guía» y, en lugar de golpearle, se siente en la obligación de proteger a su cría.

Para confirmar esta observación, basta con presentar a un pavipollo disecado, tirado por un hilo de nailon, para que la pava lo ataque de inmediato con ferocidad. Un hurón disecado sufrirá la misma suerte, pero si se le coloca bajo el vientre un pequeño transistor que retransmite una grabación de piada de pavipollo, la pava, curiosamente, tratará a este hurón disecado con todas las manifestaciones de un comportamiento maternal. «Es ciertamente impresionante observar cómo esta pava, que solo tiene picotazos para el polluelo mudo, se tumba lanzando glugluteos maternales para acoger bajo su ala a una cría de hurón que pía.»

Estos experimentos son muy significativos y ricos en enseñanzas. Nos demuestran que la pava posee sin duda un comportamiento maternal, pero que este comportamiento solo se desencadena si recibe la piada específica de su pavipollo. Se trata, pues, sin duda de una comunicación animal no verbal típica.

Veremos un poco más adelante como la madre humana reacciona un poco de la misma manera a las primeras sonrisas reflejas de su hijo. Estamos lejos de los análisis históricos y culturales de la señora Badinter.

Las señales visuales desencadenantes

Hemos llegado por fin a un campo sensorial en el que no tenemos nada que envidiar a nadie. Es probable que haya pocos animales que tengan una agudeza visual superior a la nuestra. Además, desde la infancia, aprendemos a perfeccionar nuestro reconocimiento de las formas y los colores. La escritura, el arte gráfico y pictórico, el cine, los cómics, la televisión, son otras tantas tentaciones para nuestro sistema de percepción, y que afectan en nuestros días al niño a edad cada vez más temprana.

Como estamos tan familiarizados con lo que es visual, he escogido este campo para profundizar en la diferencia que existe entre la comunicación animal y la comunicación humana.

Esta diferencia está en el centro de mi argumentación, que terminará, poco a poco, por demostrarte por qué y cómo «los hombres las prefieren con curvas». Ya ves que no me pierdo y que guardo bien en la memoria el hilo conductor de este libro.

El increíble descubrimiento de MacLean

Tengo una debilidad especial por ese extraño sabio que es el neurobiólogo estadounidense Paul D. MacLean. Padre de la «teoría de los tres cerebros», es también el padre del cambio que se produjo en mí después de su lectura, y no puedo menos que pensar que su descubrimiento se sitúa en la cumbre y pone orden en lo que numerosos sabios recogen cada día con paciencia en sus respectivos ámbitos.

MacLean era especialista en el sistema nervioso, y ha dedicado una parte de su vida a diseccionar los cráneos y a observar cerebros humanos y animales con un agudo sentido de la observación.

Un sistema nervioso es un órgano de información que permite recoger todas las informaciones proporcionadas por el mundo circundante y desencadenar los comportamientos más adaptados a la supervivencia y a la reproducción. Es el director de orquesta sin el cual no seríamos otra cosa que honestas plantas verdes.

MacLean sabía, como lo sabe todo biólogo, que al ascender por la escala animal, los cerebros eran cada vez más grandes y complejos, lo que explicaba el enriquecimiento paralelo de sus prestaciones. Pero, entonces, al estudiar estos diferentes cerebros, tuvo su primera revelación.

Observó que la naturaleza, en lugar de innovar inventando para cada gran escalón un cerebro completamente distinto, se contentaba con conservar el antiguo añadiéndole una nueva capa o más bien un nuevo piso. Lo cual permitía a los herederos aspirar a prestaciones muy superiores. Pero al mismo tiempo, y es ahí donde reside el interés de este descubrimiento, el antiguo cerebro continuaba existiendo y funcionando de la misma manera. Somos, los seres humanos, la última fase de la evolución del sistema nervioso y, como tal, poseemos bajo nuestro cráneo todos los cerebros superpuestos que se han formado antes de nosotros.

1. Tenemos, pues, enterrado a gran profundidad, un primer cerebro arcaico, que la naturaleza había concedido ya al reptil. Lo que nosotros podemos hacer con él, el dinosaurio lo hacía ya cientos de millones de años antes que nosotros, así como el lagarto actual.

En esta zona se encuentra lo que nos impulsa a vivir y a reproducirnos. Si nos entran unas ganas descabelladas de morir, la resistencia vendrá de esta pequeña masa gris bien camuflada. Es el estadio primitivo de nuestra razón de ser. Si Albert Camus lo hubiera imaginado, tal vez no habría filosofado de la misma manera sobre lo absurdo de la vida. Si nos afanamos como buenos diablos para beber y comer, si combatimos con seguridad o si tenemos miedo, es también ahí donde todo se organiza y se desencadena.

Y si una fuerza incomprensible nos avisa que estamos en presencia de una hembra, es también a él al que se lo debemos. El olor, las curvas, la consistencia de un pecho o de unas caderas, el impacto de una solicitud femenina de protección, el clic de una pupila que se dilata, la alteración de una madre ante la primera sonrisa de su hijo; la necesidad irrefrenable de volverse muy pequeño ante un personaje, el sentido de la jerarquía y el respeto grotesco ante un dominador son señales a las que lagartos, aves, lobos y hombres reaccionan de la misma manera, teniendo en cuenta, por supuesto, las peculiaridades de cada especie.

En este nivel, todo se desencadena en la más perfecta inconsciencia y sin ninguna sombra de emoción. Un estímulo —un clic—, una respuesta. Así sigue viviendo el lagarto, animal de sangre fría.

2. Sobre este viejo cerebro reptiliano, al que podríamos comparar con una bola de helado colocada sobre un cono, vino a añadirse una segunda capa, un nuevo cerebro que apareció con los mamíferos como si fuera una segunda bola de helado superpuesta a la primera.

Con él entramos en el campo de las emociones. Y lo que nosotros hacemos con él, un pequeño roedor, como el castor, lo hacía ya decenas de millones de años antes que nosotros.

En lo sucesivo, cada mensaje que nos llega desencadena no solo una respuesta eficaz, sino que se adorna y se enriquece con emociones. Sin embargo, y este detalle es de una extrema importancia, estas emociones no son todavía conscientes. También en este caso se trata de reacciones adaptadas a la supervivencia. Delante de un enemigo nuestro corazón se pone a latir rápidamente, nuestro vello se eriza, nuestros ojos se dilatan, la sangre nos sube a la cara. Todas estas modificaciones son útiles en el combate que se va a desencadenar.

Es lo que sucede cuando un artista sale al escenario. Los nervios que siente no son más que la percepción del barullo interior que le prepara para librar la batalla. Si tiembla, es porque le llegan inmensas reservas de energía que no utiliza. El lagarto no tiembla nunca, su corazón está en calma; la rata o el lobo palpitan de emoción, pero sin tener ninguna conciencia de ello. El hombre es el único que conoce sus terrores y sus alegrías.

Es en este cerebro donde nacen nuestros afectos y las emociones vinculadas a la dependencia materna, y más tarde al amor. Las congojas, el nudo en la garganta, las manos sudorosas, los deseos ardientes, el vacío en el estómago, las piernas entumidas, la cabeza caliente, la boca seca, la voz ronca, la diarrea, los desmayos de alegría o de miedo, los llantos, las risas, la emoción sagrada: todo esto es causado por el funcionamiento del segundo cerebro. Pero es también ahí donde guardamos en la memoria nuestras experiencias emotivas. Cuando Marcel Proust piensa en su infancia al probar una magdalena, o cuando un adulto sigue teniendo miedo a la oscuridad o se niega a nadar, es que sus malas experiencias han dejado una huella emocional muy intensa en este pequeño territorio.

El sueño también va acompañado de una violenta carga emocional que explota tanto en nuestras pesadillas como en las del gato. Y numerosas drogas que hoy conocemos con el nombre de «tranquilizantes» tienen un acceso directo a la vertiente ansiosa de nuestros comportamientos.

Por último, y para lo que nos interesa especialmente, las curvas, percibidas de forma visual y táctil, el olor y muchas otras estimulaciones de orden sexual desencadenan en nosotros emociones que somos incapaces de dominar.

3. Por último, el tercer cerebro o neocórtex se parece a un manto que cubriera el todo. Es la última adquisición del sistema nervioso. Modesto en el gato y en el perro, se enriquece en el mono y culmina en el hombre. Es el cerebro del razonamiento, del lenguaje, de la lectura y la escritura, de la lógica y de las matemáticas.

«Padre de la invención y madre del pensamiento abstracto, es el proveedor de las ideas y de la cultura.»

Pero, por muy rico que sea, no se trata más que de una computadora de una pasmosa complejidad. En sí mismo no tiene ningún calor y sobre todo ningún poder de decisión, y es ahí donde reside el malentendido más rico en complicaciones que el hombre conocerá jamás.

El drama de estos tres cerebros reside en el hecho de que, alojándose bajo el mismo techo, hablan tres lenguas distintas.

El primero percibe los mensajes que se dirigen a los instintos y responde con decisiones apropiadas. Él es el que decide respecto a todo lo que se refiere a la supervivencia, es decir, a todo lo que da un sentido a nuestra existencia. Si tratas de saber qué nos hace correr hacia la mujer, la fortuna o el poder, no busques más, eso ocurre a la altura de las cejas.

El segundo da color y calor a nuestros comportamientos. Es el genio del estruendo, es lo que marcaba la diferencia aparente entre dos monstruos sagrados del tenis mítico: Björn Borg y John Mac Enroe. El primero, un vikingo grande y frío, enigmático pero eficaz, tenía quizás la apariencia de un extraterrestre pero jugaba como un lagarto y por eso era tan impresionante. El segundo, un irlandés pelirrojo y desgreñado, palpitaba, rechinaba los dientes, fulminante e irascible, su comportamiento evocaba el segundo cerebro.

El tercero, ese al que atribuimos toda nuestra humanidad, no decide nada, no se apasiona, pero quiere explicarlo todo. Si bien comprende maravillosamente lo que sucede a nuestro alrededor, es de una incompetencia total para todo lo que compete a los otros dos cerebros, es decir, lo esencial. Entonces, y aquí es donde se revela uno de los dramas de la naturaleza humana, abusa de su poder. Acostumbrado a analizar, desmenuzar, dilucidarlo todo, resbala ante lo que no comprende. Busca y termina encontrando razones para nuestros comportamientos, nuestras decisiones y nuestras emociones. Hay ocasiones en que da en el clavo, pero la mayoría de las veces se equivoca y se inventa falsas razones para justificar impulsos venidos de otra parte.

Para concluir con esta teoría de los tres cerebros, y volviendo directamente al tema que nos ocupa, pretendo que un macho de nuestra especie, de pie ante su hembra, percibirá la forma de sus pechos, el dibujo de sus ojos y de sus labios, el triángulo de su vello púbico dibujándose claramente sobre un cuerpo completamente lampiño, las marcadas curvas características de sus muslos y de sus caderas. Respirará el olor de su piel, de su cuello, de sus axilas, y percibirá, por contacto directo, la consistencia y la plenitud elástica de su contorno pélvico y de su pecho.

Todas estas sensaciones, las percibirá gracias a sus órganos de los sentidos y esos mensajes llegarán al mismo tiempo a sus tres cerebros. El primero responderá con una pulsión sexual que lo empujará a tomar posesión de ese cuerpo. El segundo desencadenará una emoción sexual que trastocará sus ritmos circulatorios, respiratorios, acelerando su corazón, facilitándole el esfuerzo que está a punto de llevar a cabo. Pero, al mismo tiempo, estos mensajes irrumpirán en su cerebro, donde reina la conciencia, totalmente extraña al lenguaje de las emociones y de los instintos, pero tan necesarios para la supervivencia.

Ahí se confrontarán con los arquetipos culturales de la sociedad en la que vive; y, si por desgracia las consignas en vigor dan preferencia a la ausencia de formas o de olores, habrá conflicto entre el cerebro arcaico y el nuevo cerebro, conflicto entre el salvaje y la computadora, entre la naturaleza y la cultura, entre lo consciente y lo inconsciente, que, como todo el mundo sabe desde Freud, desemboca en la neurosis o en la sublimación. Pero esto lo veremos con detalle más adelante junto con los medios para ponerle remedio, tratando de armonizar lo cultural y lo natural.

Por ahora tenemos que impregnarnos todavía un poco más de las posibilidades de la comunicación animal con el fin de no tener ya ninguna duda acerca de su funcionamiento y de lo que puede desencadenar en nosotros.

Los dos ejemplos que he escogido para ilustrar las señales visuales desencadenantes pertenecen esta vez al mundo de los peces.

El espinoso y el luchador de Siam son dos maravillosos peces cuya sexualidad es un modelo de perfección y de belleza.

Estos dos peces son quizás los más agresivos de todo el mundo acuático. Y, salvando las distancias, su violencia supera en intensidad a la de los tiburones más devastadores.

Los tailandeses, pueblo aficionado a la violencia y a los juegos de dinero, siguen organizando regularmente combates en el transcurso de los cuales apuestan por esos peces rivales.

La sexualidad de estos peces, como veremos, es desencadenada, regulada y dirigida a lo largo de su realización por señales visuales relacionadas con colores, formas y movimientos expresivos. Por último, a modo de anécdota, estos dos peces, terror de los acuarios, son padres modelo, construyen solos sus nidos y ahuyentan a sus hembras para quedarse con el cuidado exclusivo de los huevos y de las crías.

El gran alarde coloreado del espinoso

El espinoso es un pequeño pez de agua dulce que vive en grupo. Cuando llega la temporada de reproducción, el macho se aísla y busca un territorio. Su elección se dirigirá a una zona en la que el suelo sea blando, donde podrá construir fácilmente su nido.

En cuanto lo encuentra, su piel cambia de color y se vuelve más vivo. Esta modificación es una señal de agresividad. La necesita, pues deberá impresionar y alejar a los otros machos de su grupo que, como él, tratan de establecerse.

Si, por descuido, aparece otro macho intentando penetrar en su territorio, sus colores se encienden y su cuerpo adopta la «postura de amenaza». Estas señales, que reflejan su emoción y su humor belicoso, desencadenan habitualmente en el inoportuno intruso una reacción de huida o de evitación y todo queda ahí.

Pero si ese macho insiste, entonces se produce el combate. Los espinosos atacan sin preámbulo y con tal vivacidad que no es posible seguir la lucha a simple vista. Casi siempre es el que no tiene nada que defender el que lleva las de perder y el que, al percibir por instinto una agresividad más fuerte y más violenta que la suya, huye antes de ser desgarrado por los lados.

Después de varios combates, su territorio no volverá a ser cuestionado y podrá entonces comenzar a construir su nido. Este último se hace por instinto y sin aprendizaje, excavando en el suelo con el fin de crear un pequeño túnel estrecho donde se depositarán los huevos.

Cuando el nido está terminado, comienza entonces la fase que nos interesa especialmente. Es el gran ballet del alarde nupcial, unos fuegos artificiales de colores y de formas en el que el macho y la hembra se comunican exclusivamente por medio de señales visuales desencadenantes. Y esta comunicación, que se establece gracias al viejo cerebro instintivo, conduce a la fecundación de los huevos.

Así pues, en cuanto el nido está terminado, los colores del macho se ensanchan totalmente, su lomo cambia al azul verdoso irisado, su ojo al esmeralda resplandeciente, y sobre todo sus costados y su vientre resplandecen con un rojo encendido.

Las hembras durante este tiempo maduran sus huevos, se desplazan en grupos y pasan cerca del territorio de los machos.

La primera señal visual desencadenante proviene de la hembra y de modo muy especial de su «vientre hinchado». Esta configuración es especialmente expresiva cuando la hembra está lista para poner sus huevos, e induce en el macho un comportamiento de alarde y de cortejo muy especial.

El macho ejecuta una danza llamada «en zigzag», formada por numerosas idas y venidas: finge así desviarse y vuelve súbitamente con la boca abierta. Esta danza en zigzag, asociada al vientre rojo, constituye otro estímulo sexual y atraerá violentamente a la hembra, que se abalanza sobre el macho. Este, mediante dicho juego, la lleva poco a poco hacia el nido; una vez que llega ante la entrada del túnel que ha construido con tanto cuidado, hace como que penetra en él y se retira. Este gesto es también una señal que empujará a la hembra a hacer lo mismo y, después de varios intentos, esta se introduce completamente en el nido, de donde solo sobresalen la cabeza y la cola.

El macho coloca entonces su hocico en la base de la cola de la hembra y comienza a temblar violentamente. Este mensaje de origen táctil es indispensable para la continuación de las operaciones. Sin él todo se detiene. Estas vibraciones y estos roces desencadenan automáticamente la eyección de los huevos. Cuando la hembra abandona el nido, el macho a su vez penetra en él y, aquí, interviene una señal olfativa o química procedente del líquido en el que han sido puestos los huevos. Este olor actúa de manera refleja y desencadena la expulsión del semen y la fecundación de los huevos.

El macho sale deprisa de su nido y ahuyenta inmediatamente a la hembra de su territorio. Una vez apaciguado su instinto sexual por la emisión de semen, y una vez desaparecidas las excitaciones vinculadas a la hinchazón del abdomen de la hembra, recupera su agresividad. En ese momento ya no queda ningún recuerdo ni ninguna conciencia de lo que acaba de suceder y ataca violentamente a todo lo que pueda suponer una amenaza para los huevos fecundados.

Este ejemplo nos interesa, pues nos proporciona nueva información que no conocíamos, y vemos por primera vez esta señal desencadenante que representan la plenitud y la hinchazón de cierta parte del cuerpo. El vientre liso deja indiferente, pero la hinchazón del vientre, esa curva plena y consistente, estimula y pone en marcha el alarde sexual.

El color rojo afrodisíaco del macho es también una novedad para nosotros. Es curioso constatar que esta superficie coloreada se encuentra, absolutamente idéntica, en otra especie muy lejana: el petirrojo, en el que el pecho y la garganta rojos de los machos desencadenan la misma atracción sexual.

Las hembras de esta especie de ave tienen por lo general el pecho de color gris, pero si se pintan de rojo las plumas de esta zona, se observa una sumisión casi sexual de las otras hembras, que reaccionan ante esta señal sin ninguna conciencia del engaño.

El luchador de Siam, el macho de los ríos

Conocido como pez betta. Se trata también de un pez de agua dulce de pequeño tamaño, pero de un humor excesivamente belicoso. No voy a examinar de nuevo en detalle la formación del nido y el resto del proceso de la fecundación. Este ejemplo nos aportará una sola nueva señal que no conocemos, pero que es fundamental ya que abre la puerta grande de la sexualidad que lleva hasta el hombre.

El lector debe estar atento a esta señal, pues aparece por primera vez con los peces y está presente a lo largo de toda la escala animal. El propio hombre, sin saberlo, sigue reaccionando ante este misterioso desencadenante.

El luchador, a diferencia del espinoso, no es un animal cuyos colores anuncien con orgullo el sexo. No hay en este caso ni rojo encendido ni verde esmeralda; como mucho, algunas manchas luminosas y algunos destellos irisados en las aletas. En estas condiciones, los especialistas en el comportamiento animal se han preguntado durante mucho tiempo cómo un macho de esta especie podía reconocer a su hembra.

Una alumna de Konrad Lorenz, Béatrice Oehlert, que ha estudiado durante mucho tiempo a estos peces, ha terminado, a fuerza de paciencia, por descubrir este misterioso emisor.

Cuando el luchador macho, terror de las aguas, sorprende a un pez de su especie irrumpiendo en su territorio, no sabe todavía con quién está tratando. Solo su agresividad le empuja hacia el intruso. Ante él, adoptará la «actitud de dominación», en la que el animal fanfarrón intenta mostrarse desde el ángulo más terrorífico. «El despliegue espectacular de sus aletas es tan repentino y tan intenso que casi podría compararse con el crujido de una sombrilla al abrirse bruscamente.»

Esta postura es una señal en la que resplandece la fuerza y la confianza en sí mismo. Si es un macho el que se encuentra ante él, este último responderá con la misma demostración de fuerza. A la amenaza, responde con la contraamenaza y hay muchas posibilidades de que no tarde en comenzar el ataque

que la mayoría de las veces causará la muerte de uno de los adversarios.

Si es una hembra que está lista para el apareamiento, responderá con una actitud y un comportamiento que identificarán inmediatamente su sexo. En lugar de sacar pecho como haría un macho, da su brazo a torcer rápidamente replegando sus aletas y mostrándose desde el ángulo más vulnerable. Además, se acerca sin ninguna brusquedad, con suavidad y timidez.

En todos estos movimientos se puede descubrir una mezcla de atracción y terror de un gran valor expresivo y que recibe el nombre de «comportamiento de mojigatería».

Konrad Lorenz resume bien la situación diciendo que en el macho no existe término medio entre el miedo y la sexualidad. Si la hembra le inspira el menor miedo, su sexualidad es completamente aniquilada. En cambio, la hembra que respeta «tan poco a su compañero que no elimina su agresividad por completo es incapaz de reaccionar sexualmente con él».

Así pues, aparece por primera vez esa noción fundamental que ronda la sexualidad animal: la fuerza, la impetuosidad y la arrogancia son caracteres asociados a la sexualidad del macho. Es lo que llamamos, en nuestra especie, la virilidad.

La suavidad, la gracia, la vulnerabilidad están asociadas a la sexualidad de la mujer. Tendríamos tendencia a darle el nombre de feminidad.

Virilidad y feminidad representan dos polos de comportamiento totalmente opuestos en sus manifestaciones. Son el norte y el sur de la sexualidad. Toda tentativa para intentar acercarlos o atenuar su antagonismo es el medio más seguro de hacer desaparecer sus fuerzas de atracción y de generar impotencia y frigidez.

LA COMUNICACIÓN NO VERBAL EN EL HOMBRE

Acabamos de revisar el mundo maravilloso de la comunicación animal. No se volverá a tratar en este libro, con la salvedad de la herencia que nos ha legado y que probablemente, sin que nosotros lo sepamos, ha permitido que hoy estemos todavía aquí.

Antes de que nuestra especie apareciera sobre la tierra, todo lo que vivía se comunicaba únicamente a través del intercambio de señales sensoriales que permitían que los instintos aseguraran por completo la vida y la reproducción.

Llegó el hombre y se produjo el milagro que nos permitió adquirir un segundo lenguaje: el discurso consciente.

Pero este regalo, que abría perspectivas que aún hoy solo se entrevén parcialmente, no suprimía en absoluto el modo de comunicación que compartimos con el resto de los seres vivos. Faltaba mucho, y la naturaleza, no obstante generosa, había previsto nuestra ingratitud y había fijado para siempre en las tinieblas de nuestro inconsciente las reglas de juego fundamentales de nuestra existencia y de nuestra supervivencia.

Es indiscutible que el habla nos hizo dar un paso gigante en nuestras posibilidades de expresión, pero la riqueza y la autonomía de este lenguaje son tales que invaden por completo el campo de la consciencia, relegando nuestra comunicación arcaica a un inconsciente completamente inaccesible y, con ella, las realidades básicas de la naturaleza humana. Esto nos lleva a esa sorprendente paradoja que puede sucedernos de hablar por el placer de escucharnos o, lo que es peor, para camuflar o encontrar una coartada para nuestras verdaderas motivaciones instintivas.

El terreno sexual es el que asegura con mayor certeza la perennidad de la especie. Aparte de los bebés de probeta, no se ha encontrado todavía un medio mejor de reproducirse.

Ante lo vital del desafío, nuestros instintos y nuestra comunicación animal, en retroceso en la mayor parte de los demás sectores, han resistido aquí muy bien. Freud fue uno de los primeros en insistir en el papel oculto e inconsciente de nuestra libido.

Hoy, pese al revuelo provocado por esta teoría que pareció escandalosa en su momento, nadie se atrevería a negar que sigue existiendo en nosotros una poderosa pulsión sexual.

Lo que se reconoce menos, y es en cierto modo el objeto de este libro, es que ese instinto sexual resultante de la animalidad necesita, para expresarse y fijarse, todo un repertorio de señales desencadenantes. Una de estas señales, la redondez de las caderas, el contorno pélvico y los muslos, la firmeza táctil de su consistencia, la plenitud del pecho, en pocas palabras, las curvas femeninas, son desencadenantes típicos, pero por desgracia inconscientes, de nuestro instinto sexual.

Desacreditadas desde hace mucho tiempo por una cultura y unas modas aberrantes, estas señales magnéticas tropiezan con una pantalla cultural, y el choque de esta negación repercute en la armonía de nuestro comportamiento y nos perturba inconscientemente.

Trataré sobre ello en detalle en los capítulos siguientes. Aquí, y brevemente, quiero, para terminar, ofrecer dos ejemplos de la comunicación primitiva en el hombre. Escogí a propósito al niño que no habla todavía para estar seguro de eliminar totalmente el papel del lenguaje, y a los ciegos, en quienes la luz, las formas y los colores han desaparecido para siempre.

La sonrisa natural: un desencadenante del instinto maternal

Al nacer, el bebé humano es totalmente ciego. Su visión se desarrolla al cabo de algunas semanas de maduración.

René A. Spitz, neuropsicoanalista célebre por sus trabajos sobre el comportamiento afectivo del niño, fue el primero en descubrir que la sonrisa era un reflejo natural que aparecía hacia la séptima semana después del nacimiento. Antes de él se pensaba que esta expresión exclusivamente humana era puramente adquirida y que la desarrollábamos por imitación al contacto con los padres.

Para desencadenar este reflejo, basta con poner un rostro humano ante la cuna del bebé a la distancia óptima de un metro. El niño reacciona siempre de la misma manera, sean cuales sean el sexo, la edad o la raza del rostro.

Intrigado por su descubrimiento, Spitz quiso saber más sobre las partes del rostro que desencadenaban este reflejo. Trabajó pacientemente con un gran número de niños y observó que la sonrisa desaparecía si el rostro se presentaba de perfil. De esto concluyó que los dos ojos debían de ser indispensables. Para confirmarlo y profundizar en el conocimiento del desencadenante, recurrió a la técnica de los señuelos, tan querida de Tinbergen. Construyó entonces unas máscaras en las que faltaba siempre uno solo de los elementos del rostro humano, y llegó a la conclusión de que los dos ojos, los arcos superciliares y la nariz constituían la base irreductible necesaria para la obtención de la sonrisa refleja.

La boca, la raíz del cabello y las orejas no eran indispensables. Se trataba entonces sin duda de una configuración especial para la cual estamos programados desde antes de nacer. Eibl-Eibesfeld, especialista en el comportamiento humano, confirmó esta teoría de una manera singular trabajando con niños sordos, mudos y ciegos de nacimiento, en quienes naturalmente todo aprendizaje visual es desgraciadamente imposible.

Eibl-Eibesfeld pudo demostrar, gracias a películas conmovedoras, que la sonrisa era sin duda un reflejo natural no aprendido. Aparecía en este tipo de niño, a pesar de la ausencia de desencadenantes naturales, por razones que conocemos bien en la biología del comportamiento. Cuando un reflejo natural no es utilizado durante un cierto periodo, se exterioriza inevitablemente respondiendo a otros estímulos paralelos.

Estos niños, discapacitados, que no podrán ver nunca un rostro humano, terminan por sonreír cuando perciben una suave caricia en el cuerpo y el cuello. Estos mismos niños, incapacitados para la imitación, hacen mucho más que sonreír. Cuando un estímulo desagradable los irrita y están enojados, lloran, patalean, aprietan los puños y arrugan la cara, mostrándonos de ese modo que todas estas manifestaciones motrices son innatas y no tienen necesidad alguna de ser aprendidas.

Volvamos a la sonrisa y veamos cómo actúa en tanto que desencadenante en una comunicación cualquiera. La naturaleza nunca crea un patrón motor tan complejo sin razón. La sonrisa tiene una finalidad, está destinada a ser recibida por la persona que está ahí, frente a ella, desde que llega a su séptima semana; y esa persona es casi siempre la madre. El rostro del niño que sonríe desencadena en ella un comportamiento de protección y de ternura que es el comienzo de un vínculo que se instaurará profundamente y para toda la vida.

El instinto maternal existe en la mujer, pero, como todo instinto, necesita ser desencadenado y alimentado, y la sonrisa inconsciente y refleja del niño es uno de esos desencadenantes. Es probable que existan muchos más. Los llantos del niño, sus gestos torpes, la forma redondeada y desproporcionada de su cabeza, y muy especialmente de los ojos y de la frente, son emisores que los especialistas intentan descifrar actualmente. Es todavía demasiado pronto para afirmarlo definitivamente, pero existen ya evidentes presunciones en favor de esta hipótesis.

Sea como fuere, la sonrisa ha dado ya muestras de su aptitud y por supuesto forma parte de nuestra comunicación instintiva. Después del séptimo mes dejará de ser un simple reflejo, y el niño se valdrá de ella de manera mucho más selectiva. No reaccionará ya ante cualquier rostro, sino sobre todo ante el de su madre, luego ante el de su padre y, poco a poco, ante todos los rostros que le resulten familiares y sean de su agrado. Más tarde, en plena madurez, la sonrisa adoptará su función humana plena, que es la de ganarse la simpatía de quien está enfrente, desactivando milagrosamente toda agresividad. En una palabra: la sonrisa llama a la sonrisa.

Comunicación por el olor en el niño

El investigador francés H. Montagner ha hecho una serie de experimentos en guarderías con niños de muy corta edad que contribuyen a demostrar que el olor de la madre es una señal inconsciente que reconocen y que les ayuda en su comportamiento afectivo y social.

En un primer experimento se pidió a las madres de todos los niños de una guardería que llevaran puesta una camiseta directamente sobre la piel, durante tres días y tres noches, sin quitársela. Después se dejaron algunas camisetas encima de una mesa, entre las cuales se encontraba la de su madre, y se le pidió a cada niño que escojiera una. Se comprobó que la mayoría de los niños que eligieron una se decidieron por la prenda materna.

En el segundo experimento se seleccionó en una clase a cierto número de niños que habían elegido la camiseta materna y se les devolvió esta. Estos niños tuvieron la tendencia de guardarla. Después su comportamiento fue filmado y analizado por psicólogos. Su conclusión fue rotunda: estos niños eran menos agresivos que de costumbre. En su clase eran los que buscaban más activamente los intercambios, los juegos y las comunicaciones con los otros niños. La simple presencia del olor materno, conservado en un objeto que poseían, fue suficiente para volverlos más sociables y comunicativos.

Estos dos experimentos demuestran de manera inequívoca que el niño reconoce el olor de su madre cuando no está en su presencia y que este olor tranquilizador modifica su comportamiento a distancia.

El curioso universo de los ciegos

Para cualquiera que se interese por la comunicación no verbal en el hombre, la observación de los ciegos aporta abundante información difícil de interpretar. Eibl-Eibesfeld pudo observar y filmar a niños sordos y ciegos de nacimiento. Estos niños distinguen, solo por el olor, a los extraños de las personas a las que conocen. Aunque todos aquellos que se acercan intentan ser amables con ellos y transmitirles una sensación de seguridad, alejan a todo extraño amagando con golpes en su dirección.

La mayoría de los adultos ciegos logran vivir en sociedad a pesar de su importante discapacidad, además de trabajar y desplazarse en las grandes ciudades.

En presencia de desconocidos logran con gran rapidez recoger un gran número de datos que sintetizan de manera increíble. Personalmente, conocí a un antiguo médico que perdió la vista durante la guerra de Argelia. Doce años después, destacaba en la profesión de masajista. Por el timbre de la voz y por el olor podía determinar sin dificultad la edad y el estado emocional de una persona con la que se encontraba.

Un día en que acompañé a una joven pariente de provincia para que le tratara un hombro adolorido, me llevó hacia otro lado inmediatamente después de haberla saludado y me dijo:

—¡Qué guapa es esta chica! ¿Por qué no le aconseja que se vista un poco más a la moda? Su timidez la perturba, tiene que salir más.

Al margen del hecho de que tenía toda la razón, esta anécdota no tiene naturalmente otro valor que el de mostrar hasta qué punto los ciegos confían en datos visuales que nosotros ni siquiera nos dignamos a recoger.

Conclusión

Habrá algunos lectores que tal vez piensen que he tomado un camino muy largo para llegar a esta imponente verdad de que el mundo vivo en su totalidad se comunica gracias al mensaje de los sentidos y por la vía de los instintos.

Este rodeo, al margen de la belleza mágica de los ejemplos considerados, era indispensable para que lo que sigue sea clarificador.

Al ser desde luego los experimentos científicos imposibles con el hombre, me hacían falta pruebas indirectas. Mi demostración se volvía un alegato, y para conseguir la convicción necesitaba el testimonio abrumador de los animales.

Así que han comparecido ante el tribunal y, ante los jurados, que son ustedes, todos, sin haberse puesto de acuerdo, y han declarado lo mismo:

En todo el reino animal encontramos un sexo macho y un sexo hembra que funcionan como los polos positivo y negativo de un imán. Estos dos polos están unidos por una fuerza que es la pulsión sexual. Esta pulsión no es ciega, y cada especie tiene sus propios emisores y receptores sexuales.

Lo que es fundamental a través de todos estos testimonios es señalar que la naturaleza no ha innovado mucho al pasar de un nivel a otro. Un poco más de olor en la rata, un poco más de percepción visual en el pez, un poco más de acústica en el ave. Pero lo esencial sigue siendo la comunicación por medio de señales sensoriales.

Necesitaba hacer sentir al lector el peso de estas evidencias porque desde Darwin sabemos que el hombre no puede ya invocar un origen sobrenatural.

Queramos o no, el hombre es el heredero directo de todos estos testigos y no puede, pues, desautorizarlos. Puede, como mucho, hacer notar que la aparición de su conciencia le ha permitido desprenderse parcialmente de sus instintos. Pero, en ese lugar que quedó vacío, ha penetrado la cultura, que actúa como canto de sirena haciéndole creer en su total libre albedrío.

Podemos explotar y dominar el resto del mundo viviente, podemos dejar las huellas de nuestros pasos en planetas deshabitados y dominar el átomo. Pero, todavía hoy, no podemos cambiar nada en el hecho de que somos biológicamente idénticos a nuestros antepasados de Cromañón, con nuestras propias pulsiones y lo que es necesario todavía de instinto para reproducirnos y sobrevivir.

El reconocimiento de nuestra pulsión sexual ha sido fruto de una lucha encarnizada, y para ello ha sido preciso movilizar el genio y la tenacidad de un Freud, condenado durante mucho tiempo al sarcasmo y a la venganza de los oscurantistas de todos los colores.

Hoy, el camino debería parecer despejado para poder afirmar que, si poseemos un instinto sexual, poseemos inevitablemente sus señales desencadenantes.

Podría parecer evidente decir que sin ellas no tendríamos ninguna razón válida y lógica para preferir una mujer a un armario o a una seductora mecedora.

Y sin embargo me doy cuenta de que estas evidencias no siempre conllevan el reconocimiento obligado de estas señales desencadenantes. A un número impresionante de personas, por lo demás inteligentes, les cuesta aceptar que los pechos de la mujer, al margen de su función de lactancia, puedan desempeñar un papel de desencadenante sexual.

Que, si no tuviera sentido el contorno típicamente femenino de las caderas y de los muslos, sería para no esperar nada de la naturaleza y una razón para creer que esta puede crear con absoluta anarquía y sin utilidad.

Que, si la mujer ha perdido su vellosidad y si el hombre ha conservado la suya, no es el resultado de un simple «cara o cruz».

Y que, si hemos heredado olores tan diversos como nuestras huellas dactilares, no es únicamente para darnos el placer de crear y utilizar desodorantes químicos y anónimos.

Afirmar lo opuesto es, al contrario, rendir homenaje a la naturaleza, es plegarse al pensamiento de Einstein, que decía que «la naturaleza no puede jugar a los dados con el universo».

Tal vez sea desproporcionado desplazar a Freud y a Einstein para que se admita que todos estos mensajes tienen un sentido y que desencadenan en nosotros la tentación de prolongar la especie, pero, sin la realidad de estas señales, es muy probable que estos dos grandes hombres tampoco hubieran existido nunca.

LA FEMINIDAD, UN COCTEL BIOLÓGICO

Es propio del ingenuo plantearse preguntas de una simplicidad que desarma y a las cuales no siempre se sabe cómo responder. Los niños y los científicos son por naturaleza propensos a plantearlas, pues unos y otros tienen la misma necesidad imperiosa de comprender el mundo que les rodea.

«¿Qué es una mujer?»

Esta pregunta es tan sencilla como embarazosa, pues no existe una respuesta satisfactoria. El niño, con todo su candor, nos dirá que no es un hombre. Y el científico aturdido admitirá, tras meditada reflexión, que no puede decir nada mejor.

Esta paradoja se debe al hecho de que la existencia de los sexos es una convención que no hemos elegido y que le ha sido impuesta a todo el mundo vivo mucho antes de nuestra aparición. Un sexo aislado no tiene, pues, ningún valor en sí mismo, y solo puede ser definido por referencia al otro.

Un hombre no tiene ninguna necesidad de razonar para reconocer a una mujer, la reconoce por instinto. Quiero decir con esto que, si necesitara su inteligencia para elaborar de manera totalmente consciente semejante «diagnóstico», se pasaría una buena parte de su tiempo dudando sobre las diversas mujeres con las que se cruza en su jornada.

Es desde luego nuestro viejo cerebro el que decide en unas décimas de segundo, de manera casi refleja, a la vista de ciertas señales claras y simples, y que son convincentes sin tener ninguna necesidad de demostración.

He aquí otro ejemplo sobrecogedor de espejismo en el que nuestra conciencia se ilusiona con su papel, usurpando sin saberlo siquiera el fruto de un conocimiento puramente instintivo.

Los animales, por otra parte, no nos han esperado para reconocerse, y les basta con muy poco: un simple olor, un movimiento de aleta o de cola, un color sostenido, y toda agresividad se desvanece ante la tentación de copular.

Por sorprendente que esto pueda parecer, no tenemos ninguna superioridad sobre ellos en este campo. Nos vemos obligados, como el primer pez que existió, a reaccionar de manera binaria ante ciertos signos de reconocimiento. En un santiamén, será sí o no. Durante este tiempo, nuestra facultad de raciocinio se ocupa del asunto para medir los pros y los contras. Pero no sabe que nuestra elección está hecha desde hace mucho tiempo y que nuestra mirada ya no es la misma, que se entrecruzan campos magnéticos cargados de imantación, que desfilan imágenes, mensajeras de suavidad, de gracia y de sinuosidad, que las ventanas de nuestra nariz se dilatan inconscientemente para decodificar algunos perfumes íntimos, que nuestra voz se carga de emoción y que existe el riesgo de que el menor roce accidental de la piel nos prenda.

La comunicación animal actúa, pues, a pleno rendimiento mientras que nuestra computadora sigue crepitando laboriosamente.

Estoy convencido de que el lector no se tomará demasiado en serio esta descripción. Pensará que intento sazonar la situación inyectándole un poco de humor. Sin embargo, es así como sucede. En efecto, los tiempos de decisión son más breves de lo necesario para decirlo, pues nuestras neuronas funcionan muy deprisa. Pero lo esencial es saber que para este tipo de conocimiento nuestros instintos son mucho más rápidos y sobre todo mucho más seguros que nuestro intelecto.

Los mensajes procedentes de la mujer contienen los ingredientes de un coctel al que solemos dar el nombre de «feminidad». Cada hembra de nuestra especie posee naturalmente todos los elementos de la mezcla, pero lo que distingue a cada mujer, y por ende a cada mezcla, será no solo la calidad de cada ingrediente sino, sobre todo, su proporción en la mezcla final. Entramos entonces en el terreno de los tipos y en el aún más estrecho de la personalidad. Es el milagro de nuestros gustos íntimos y de nuestras atracciones cotidianas.

Me explico: ¿cuántas veces he oído la pregunta clásica: «Qué tipo de mujer prefieres»?

Y la pregunta se sobreentiende la mayoría de las veces: «¿Tienes predilección por las rubias o por las morenas, las deportistas o las refinadas, las "sexy" o las intelectuales?».

Y también ahí nos topamos con la palabra «preferir», y se trata siempre de la misma mistificación. Creo poder responder que en realidad no tenemos elección. Estamos programados para reaccionar ante un tipo determinado de mezcla.

Cuando hablamos de una rubia, no se trata de un simple color de pelo. Una rubia tiene en general una consistencia de piel, un olor, un color de ojos que forman un todo estructural determinado. Si hemos de creer a los biólogos, lo que remata el todo sería el olor y la consistencia de la piel. Pero si hubiera que optar por un denominador común que decida en el momento último, me decantaría por la redondez. Y esta es la razón por la que he escrito este libro. Las curvas, el contorno, actualmente en descrédito en nuestra cultura, son quizás los signos más auténticamente femeninos, los que mejor definen la diferencia.

Entramos en un periodo en el que personas serias, científicos rigurosos, se ocupan por fin de saber lo que realmente somos. Estamos ante un territorio casi virgen, que habrá que descifrar con paciencia. ¡Pero cuántos descubrimientos sorprendentes hay en perspectiva!

Mientras esperamos ese día, nos corresponde ahora inventariar, en un primer análisis, todas las señales de las que estamos seguros y que actúan sobre nosotros, pobres hombres, para hechizarnos y llevarnos allí donde la naturaleza nos ha esperado siempre.

¿Cuáles son, pues, para ser más exactos, los elementos que distinguen a un hombre y una mujer? Voy a revisarlos, y el lector puede tener la seguridad de que el todo combinado es el medio más seguro de definir hoy la feminidad.

Presta atención a esta carrera de persecución. Si eres un lector masculino, interrógate para saber en qué sector se encuentran tus preferencias. Y si eres una mujer, te sorprenderá sin duda comprobar de cuántos elementos sacas provecho, y cuántos rechazas. En la discriminación de tus elecciones hay razones que son esencialmente culturales. Y para eso tienes una excusa excelente. Estos emisores no están destinados a ti, y no estás en absoluto programada para reaccionar ante ellos. Es probablemente por esta razón por la que a veces aceptas consignas que carecen de sentido y, en lo que hoy nos concierne, por la que das la espalda con tanta ingratitud a unas curvas que tanto ha hecho por ti.

El tamaño

Es un dato estadísticamente admitido que la mujer es más pequeña que el hombre. Sea cual sea la raza, hay una diferencia de al menos un 10 por ciento. Para poner un ejemplo estándar, el equivalente de un hombre que mide un metro ochenta será una mujer de un metro sesenta y cinco. Naturalmente, esta diferencia en cuanto a tamaño es solo un término medio, y es posible encontrar mujeres muy grandes y hombres muy pequeños. Esta característica no tiene, pues, nada en sí misma de decisivo, y su papel sexual desencadenante no tiene una importancia capital. Solo es un incentivador, pero no existe ninguna cultura conocida en la que el hombre busque sistemáticamente a una mujer más grande que él.

Para concluir con el tamaño, propondremos un axioma que sin duda sorprenderá a nuestros adolescentes que sueñan con vivir de puntitas: en igualdad de cultura, una mujer de gran altura es menos femenina que una mujer de estatura estándar.

El sistema piloso

La mujer posee un sistema piloso diseminado por la totalidad del cuerpo. Pero, con la salvedad de algunos raros puntos privilegiados, sus pelos están atrofiados y solo existen en forma de un fino vello casi invisible. En el capítulo siguiente veremos por qué sus pelos han desaparecido, mientras que todas las demás hembras de primates los han conservado.

El hombre siente una verdadera inhibición ante el vello femenino. Lo tolera sin entusiasmo en las piernas y en los brazos, pero le produce una auténtica aversión cuando se transforma en barba o cubre los pechos. De todo ello concluiremos que la ausencia de pelos en el rostro y el pecho es un signo típico de feminidad. Este signo se difumina después de la menopausia a causa de la influencia hormonal.

El mechón de vello púbico es sin embargo una característica altamente femenina. En forma de triángulo cuyo vértice parece indicar la dirección del sexo, su perímetro está claramente delimitado y desempeña, como veremos más adelante, el papel de un desencadenante visual muy eficaz y poco conocido.

En el hombre no es un triángulo, sino un rombo que asciende hasta el ombligo y se confunde con el resto del vello abdominal. Las asiáticas, y de forma muy especial las japonesas, son en general muy poco peludas, y muchas de ellas tienen un triángulo púbico extremadamente discreto. Con gran asombro por mi parte, tuve ocasión de comprobar recientemente, leyendo las actas de un congreso de cirugía estética, que en Japón existían cirujanos especializados en el trasplante de vello púbico. Lo cual permite pensar que este tipo de intervención, puesto que se lleva a cabo, responde a una carencia y al deseo de ponerle remedio.

Los pelos de las axilas constituyen una excepción aparentemente paradójica. Forman parte integrante del sistema piloso de la mujer, pero no tienen un papel de desencadenante visual, y en general el hombre es indiferente a su presencia o ausencia. Desempeñan sin embargo un papel fundamental en la sexualidad, tanto masculina como femenina, al actuar como trampa para el olor. Esta función es de vital importancia, y veremos por qué y cómo en el capítulo siguiente.

Los pechos

Cualesquiera que sean la cultura o la raza, el pecho femenino desempeña un papel de importancia primordial en la diferenciación sexual. El contorno y la plenitud de los pechos varían según la edad, la etnia o la mujer que los posee. Bajo la influencia de la foliculina, su tensión aumenta en la primera parte del ciclo menstrual.

Durante el embarazo pueden duplicar o triplicar su volumen y aparecer en la superficie una red venosa congestionada.

El pezón, que también existe en el hombre, es sin embargo claramente más prominente en la mujer. La areola que lo rodea es mucho más grande y más pigmentada. Los pechos, al destacar la feminidad, desempeñan un papel de desencadenante de primera importancia. Veremos cómo, y sobre todo por qué, solo la hembra humana ha tenido el privilegio de poder conservarlos fuera de los periodos de lactancia.

El rostro

Estamos tan familiarizados con el rostro de las mujeres de nuestra especie que tendríamos muchas dificultades para hacer un recuento de lo que contiene de específicamente femenino.

El lector puede hacer el experimento con él mismo o con sus allegados y quedará confundido al no poder analizar los signos que sin embargo le hacen sentir, en una fracción de segundo, que tiene ante sí un rostro femenino.

Si tuvieras que analizar conscientemente esos signos, es muy probable que fueras incapaz de hacerlo, y al término de tu investigación la otra parte habría perdido la paciencia antes incluso de que hubieras determinado su sexo.

Tenemos, pues, que resignarnos a admitir que recibimos la ayuda de factores innatos y tan reflejos como los que nos hacen sobresaltarnos cuando oímos un ruido muy violento.

Un mecanismo del mismo orden entra en acción cuando hay que adivinar la edad de un rostro humano. De manera instintiva e inconsciente se abarcan con una mirada esos pequeños detalles que se transforman como por arte de magia en una clave sintética. Costaría un trabajo infinito exponer rápidamente las razones de la estimación. Hay ahí un misterio que los especialistas en el funcionamiento del cerebro o de las computadoras están lejos de haber resuelto.

Pero volvamos al rostro de la mujer y veamos lo que alberga de femenino.

Los ojos y la mirada

Los ojos y la mirada son probablemente los portadores del mensaje «príncipe». Nunca he leído ninguna obra científica que hiciera referencia a este tema. Tal vez haya llegado el momento de pensar en él. El único elemento conocido se refiere a los ángulos de abertura. El ojo femenino está en general más abierto que el del hombre, y la sonrisa que lo rodea es más acentuada. Yo tampoco sé más y a los lectores que sientan curiosidad les cedo la tarea de observarse.

Sin embargo, hay en el ojo femenino algo increíble que ha sido descubierto por un eminente psicólogo estadounidense, profesor en Chicago, y esto le ha hecho mucho más famoso que todo el resto de sus trabajos. Podemos decir que ha dedicado a ello diez años de su vida, y ha publicado un *bestseller* científico sobre el tema. Ardo en deseos de desvelar aquí este apasionante descubrimiento para el lector, pero tendrá que esperar hasta el capítulo siguiente, pues guarda relación con la sexualidad biológica de la mujer, al igual que las curvas femeninas, objeto último de mi demostración.

La arquitectura del rostro

Los arcos superciliares, los pómulos y la nariz son tres elementos óseos que rodean los ojos y que constituyen el modelado del rostro. Son claramente menos marcados, menos prominentes y menos firmes en la mujer que en el hombre. Esto se comprende fácilmente, pues en la época en que el rostro humano se diferenció de las especies simiescas, el hombre era un cazador y sus ojos constituían su mejor baza. Era muy útil para su supervivencia y la de su especie que conservara esta protección ósea. La mujer, más preocupada por el hogar o por su prole, la necesitaba menos, y el modelado de su rostro pudo atenuarse. Lo cual confiere a la parte superior de su rostro un aspecto delicado, suave y vulnerable que aumenta su encanto.

En la misma perspectiva, el ángulo de su mandíbula es menos aparente y menos cuadrado.

Y para añadir el toque final decisivo, el conjunto de su relieve óseo está envuelto en un ligero recubrimiento adiposo, envoltorio de dulzura y mensaje de paz.

Cabello, pestañas y cejas

La cabellera es uno de los ingredientes más relevantes de la feminidad. Es tal vez y paradójicamente el elemento más inmediato del reconocimiento sexual, y un hombre que lleve el cabello largo es difícil de distinguir de espaldas.

Y sin embargo, el cabello se corta y su longitud varía según las épocas. ¿Qué debemos pensar al respecto?

Una cosa es cierta: la foliculina, hormona feminizadora por excelencia, protege y fortalece el cabello y las hormonas masculinas lo destruye lentamente. La mujer posee en general una cabellera más abundante y poblada que cubre más las entradas de las sienes.

Es muy probable que el hombre primitivo llevara el cabello más corto. Cazador profesional, no podía permitirse perder de vista por un instante a su presa, ni aun por el más bello de los rizos. El propio Borg, desde la altura de su mito, si se hubiera visto privado de sus indispensables cintas para el pelo, habría tenido que resignarse sin duda, por una cuestión de eficacia, a recortar el suyo.

En definitiva, una larga cabellera es un mensaje manifiesto de feminidad, pero hay que reconocer que este signo, que puede modificarse con tanta facilidad, se presta a no pocas modas e influencias culturales. Si en la década de 1960 floreció una moda masculina de cabello largo, esta tiende a desaparecer, y los arquetipos fundamentales siguen favoreciendo las trenzas en los internados de chicas y el pelo a casquete corto en los cuerpos militares.

Las pestañas cumplen una doble función: proteger al ojo de infinidad de partículas agresivas transportadas por el aire y ofrecerle una agradable dulzura. Las mujeres no se equivocan en esto, ya que desde la Antigüedad están acostumbradas a pintarlas de negro y rizarlas. Las pestañas femeninas son los únicos pelos de la mujer que están al menos tan poblados como en el hombre. Walt Disney fue el primero en caricaturizar, en sus dibujos animados, la feminidad de la mirada de sus ratonas poniéndoles unas pestañas desmesuradas.

Por último, las cejas femeninas son claramente menos densas que las de sus compañeros masculinos. Su función sigue siendo aquí doble: un papel de canal que desvía el curso del sudor que perla la frente, y un signo de reconocimiento masculino que realza, endureciéndolos, los dos arcos superciliares. Las mujeres, conscientes de la brutalidad de esta señal, intentan a menudo atenuarla por medio de la depilación.

Relación caderas-hombros

Konrad Lorenz, padre de la etología, señala este aspecto como uno de los principales signos desencadenantes de la feminidad.

«La relación opuesta en el hombre y en la mujer entre la anchura de las caderas y la anchura de los hombros, la distribución de las partes carnosas, la forma del pecho femenino, son los indicadores específicos de la plenitud de la potencia sexual, que conoce no la cabeza, sino el instinto, según la expresión de Schopenhauer.»

En efecto, la feminidad parece llevarse mal con un exceso de hombros, cuya simple visión es un signo de fuerza y de dominación. Hay pocos ejércitos en el mundo en los que los jefes y oficiales duden en rellenar sus hombreras para simbolizar su nivel jerárquico. Y todos los uniformes militares conocidos y clasificados mencionan este intento de intimidación.

La mujer, en cambio, luce con mucha gracia sus pequeños hombros, pues sabe que su debilidad es su fuerza e incita a su protección y a la dependencia amorosa del protector.

Se trata de una ley general que nos enseñan los especialistas del comportamiento animal y que confirman los psicólogos y sobre todo los sexólogos. Esta ley afirma que una mujer cuya fuerza, ya sea física, moral o social, supera a la de su marido, termina antes o después por perderlo, víctima de una sexualidad que no encuentra ya su razón de ser. Esta ley está arraigada en el viejo cerebro arcaico del hombre y no saldrá de él si no es a punta de bayoneta.

Con las caderas y el contorno pélvico sucede todo lo contrario. Aquí todo se invierte como por arte de magia. La feminidad está ahí, todo en redondez y en expansión. Una vez superada la cintura, las caderas se amplían y se ensanchan «en forma de guitarra», incluyendo la parte superior de los muslos en una curva en la que la piel se vuelve más gruesa y es propensa a la adiposidad. El hombre está hecho de una manera muy distinta. Su cintura está mucho menos hundida, y sus caderas y sus muslos son rectilíneos.

Esta diferencia es fundamental y constituye el tema central de este libro. Por el momento nos contentaremos con dejar constancia de este rasgo. En el capítulo siguiente se revelará el único misterio verdadero que queda: el de su causa y su origen.

Las manos

Las manos, al margen de la escritura que transmiten y de sus líneas, que dejo para los quirománticos y los grafólogos, son portadoras de multitud de mensajes.

Su forma y su expresión son tan elocuentes como una mímica del rostro, y cada uno de nosotros lo siente instintivamente. También en este caso, hay pocos trabajos que sean realmente científicos y cada cual confía en su intuición.

Pero el mensaje más claro es el de la indicación del sexo. La feminidad se lee en ellas de corrido. La palma estrecha, los dedos afilados, la adiposidad de la piel que atenúa el repujado de los huesos y el relieve de los tendones; todo contribuye a la gracia y a la delicadeza. Basta con un pequeño dedo que se despega de un vaso al beber, o con una uña sonrosada por su transparencia nacarada, y todo confirma la presencia de una mujer.

Los anillos, las pulseras, el esmalte de uñas pueden exaltar esta belleza sencilla y natural a la que somos tan sensibles, pero no impiden nunca que las manos mucho más nudosas y anchas de los hombres travestis queden al descubierto.

La voz

Este es otro campo en el que resulta difícil disimular durante mucho tiempo el sexo. Todo intento de ocultación acaba en fracaso cuando la voz se mete de por medio. Hay en la voz de una mujer un misterio que a los sintetizadores electrónicos modernos les cuesta reproducir. No es nuestra intención ir más lejos en esta descripción. Solo nos resulta útil saber que la voz, procedente de las cuerdas vocales, se modifica en la pubertad bajo la influencia hormonal y que, según la hormona que intervenga, se modula de manera distinta, proporcionándonos de este modo una nueva ocasión para no extraviarnos.

Por último, hay un detalle anatómico curioso, y que hace las delicias de los detectives en ciernes, deseosos de reconocer el sexo oculto de los ángeles: la manzana de Adán. La mujer no tiene esta pequeña protuberancia sobre la laringe, y es uno de los contados casos en que la feminidad puede brillar por su ausencia.

Me siento un poco culpable por haber acorralado de este modo la feminidad en sus últimos rincones, analizando y decodificando la más mínima de sus particularidades. Si bien la descripción científica sale ganando, el poeta abandona ahí muchas de sus ilusiones. Se sentiría sin duda muy decepcionado al admitir que la musa, objeto de sus impulsos literarios, no le inspiraría ya un gran sentimiento si se le añadieran unos cuantos centímetros de hombros y unos pocos pelos en el rostro, o si se modificara su timbre de voz y se ensancharan sus manos. Poco importa su decepción, pues más allá de su poesía mistificada hay un misterio en el que el análisis prosaico nunca hará mella: a saber, que nuestras emociones, nuestras pulsiones, nuestras atracciones y nuestros terrores, la fuerza de nuestras convicciones y de nuestros apetitos, están anclados en nosotros como órganos. La comunicación emocional, las decisiones últimas, las verdaderas razones para vivir o para morir se toman en este nivel, y sin otra razón que la acordada por la naturaleza.

La magia y la belleza de este misterio se develan súbitamente cuando nos enteramos del origen de esta convención. Y si la mujer nos atrae por sus ojos, sus pechos o sus caderas, es por razones muy concretas, en modo alguno arbitrarias, grabadas en nosotros desde hace miles de generaciones y que serán objeto del capítulo siguiente.

CURVAS Y SEXUALIDAD

Cuando me decidí a escribir este libro, tenía en mente la idea de calmar una antigua inquietud, nacida de mis contactos profesionales con mujeres a las que percibía como inútilmente frustradas y con las cuales todo intento de consuelo carecía de esperanza.

Sabía, y sigo sabiendo, que estaba en lo cierto. Esta convicción se debía a mi experiencia médica y a mi simple condición de representante macho de mi especie. Pero al encontrarme solo, ante el papel en blanco, percibí rápidamente la dificultad de demostrar las evidencias. Estamos tan familiarizados con esta noción de redondez, su rasgo cultural es tan fuerte, tan grande el peso de las ideas recibidas sin análisis, que me pregunté por qué medio podría devolverle el sentido profundo que siempre ha tenido.

Un brazo, un ojo, nunca serán discutidos. Como órganos, su función no ha estado nunca oculta ni reprimida, y su evidencia se impone a todos sin reparos.

A mi entender, las curvas tienen al menos la misma importancia. Una mujer a la que se priva totalmente de ellas —y con esto quiero decir, llevando el razonamiento hasta el absurdo, que su cuerpo pudiera asimilarse al de un hombre— no tendría ninguna oportunidad de encontrar un compañero que aceptara fecundarla. Esa mujer se volvería artificialmente estéril e interrumpiría una larga cadena de generaciones que han luchado por la supervivencia de la especie.

Para que la redondez recupere su justo valor a los ojos del lector, este debería comprender su sentido y su función, y es por este motivo por lo que la he vuelto a situar en el inmenso repertorio de señales de reconocimiento entre los sexos.

Era un enfoque difícil para un tipo de lectores no versados en los vericuetos de la comunicación no verbal. No sé todavía si el mensaje servirá.

Se me ocurrió entonces un medio de persuasión más fuerte si cabe, más directo, que pudiera eliminar las últimas dudas. Procedemos de los monos y nuestro parentesco con los que viven todavía preocupa mucho a los biólogos. En el seno de los seres vivos no somos ya insulares, tan orgullosos por lo demás de serlo. Los chimpancés se muestran capaces de comunicarse por medio de algo parecido al lenguaje humano y cada día percibimos un poco más el vínculo que nos une a ellos.

De modo que hemos sido monos y hoy somos hombres. Esto es indiscutible. El camino que hemos seguido nos ha hecho dar pasos de gigante que nos han conducido hasta la inteligencia y la cultura. Pero no es ese mi propósito. Paralelamente, nuestra sexualidad ha cambiado de manera radical, y esto, en cambio, me interesa enormemente, pues en el «corazón» de este trastorno ha aparecido la redondez. Ninguna hembra de simio posee el menor atisbo de pechos, caderas o muslos. Y es este hecho inquietante el que me aportó el argumento decisivo que buscaba.

Si la redondez apareció en la mujer es porque la naturaleza la había incorporado con un propósito más amplio: el de la nueva sexualidad humana. Al concederle esta innovación exclusiva, daba a la mujer el medio más seguro de atraer hacia sí la mirada del hombre. No puede ser de otra manera, pues lo contrario sería penetrar en lo arbitrario de las decisiones supremas de la evolución.

El capítulo que se inicia con estas líneas contiene la historia natural de la sexualidad de la mujer. Vamos a conocer en él por qué somos los únicos animales vivos que hacemos el amor de frente y otras revelaciones aún más impresionantes. Esta historia interesa en igual medida a los hombres y a las mujeres. No es habitual que una lectura nos inquiete hasta el punto de no ver ya las cosas de la misma manera que antes de ella. Pero eso es lo que sucede con este tipo de revelación. Si somos capaces de amar y de crear un vínculo suficientemente sólido que resiste al tiempo y que crea un calor lo bastante dulce para que pueda anidar en él una camada de hombrecitos, si la pareja tiene un sentido y si el lazo que la une resiste a tantas intemperies, no es simplemente por nuestra buena voluntad ni por la de las instituciones sociales que la protegen, es mucho más gracias a unos mecanismos anclados en zonas arcaicas donde se han grabado las leyes de nuestra especie a lo largo de nuestra prehistoria.

Las curvas forman parte de esas fuerzas de cohesión. El lector puede intentar cerrar los ojos y los oídos, pero no impedirá la existencia de este hecho. La naturaleza ha pensado en todo, incluso en nuestra falta de discernimiento, y si algunos hombres, en ocasiones obnubilados por su dependencia de las modas, ceden ante consignas alienantes, se comportan siempre como sonámbulos, durmiendo a veces con mujeres flacas, pero regresando inevitablemente y con total inconsciencia, con los ojos cerrados y los brazos tendidos, a las citas biológicas de la redondez.

Un cerebro demasiado grande para la pelvis de la mujer

Todos los científicos están de acuerdo en fijar la esencia de lo humano en las posibilidades y las particularidades del cerebro. En comparación con otras especies de primates vivos o desaparecidos, somos los únicos que poseemos un cráneo que contiene un cerebro de mil cuatrocientos centímetros cúbicos.

Pero, y se trata ahora de una constatación, un cráneo de esta dimensión no puede pasar a través del canal que permite el paso del feto en la pelvis femenina.

Había entonces que arreglárselas sin esta maravillosa mutación rica en perspectivas, o aceptar traer al niño al mundo antes de que hubiera alcanzado su pleno desarrollo neurológico. Es, ya te lo imaginas, el camino que hemos seguido.

Pero esta elección implicaba una consecuencia que iba a modificar la esencia misma del comportamiento humano. Un bebé de esas características, no acabado, inmaduro, debía y debe seguir todavía hoy un largo camino que le conduzca a tomar posesión de todas sus posibilidades.

Así pues, cuando viene al mundo, el hombre es por naturaleza un ser prematuro.

Un radio de acción limitado para el más joven de sus hijos

La naturaleza es por esencia demócrata, y cuando da con una mano, quita con la otra. Habíamos dado a luz a un ser dotado de posibilidades excepcionales, pero ese bebé estaba ahora ahí, boca arriba, con los ojos cerrados y la boca abierta. Un peso muerto con una dependencia absoluta de su madre. Ninguna especie animal tiene al nacer una fragilidad semejante.

Los chimpancés, nuestros parientes más cercanos, tienen también su dosis de inmadurez, pero la naturaleza lo ha remediado en parte dándole algunos reflejos que, bien utilizados, pueden liberar a la madre de estas limitaciones excesivas.

El joven bebé mono, cuando está en contacto con su madre, siente de manera instintiva los largos pelos que cubren el pecho de esta y sus manitas se cierran sobre ellos. Este reflejo es tan poderoso y el pelaje tan sólido que el conjunto permite a la madre pasearse de árbol en árbol sin preocuparse de su último retoño. La incapacidad de su recién nacido no es una desventaja seria y no modifica las estructuras de su sociedad ni de su comportamiento.

En la mujer sucede algo muy distinto; el bebé humano, en contra de todas las expectativas, posee también ese asombroso reflejo arcaico, herencia vestigial a la que los pediatras dan el nombre de prensión palmar *(grasping)*.

Para que aparezca, basta con poner un dedo índice en la palma abierta de cada mano, y esta se cerrará con fuerza. Esta prensión es tan potente que con bastante frecuencia permite levantar al bebé de su cuna. A la hora de tomar el pecho, la prensión se manifiesta de manera espontánea, y el niño que se amamanta cierra sus manitas sobre unos mechones de pelo que han desaparecido hace mucho tiempo.

Así pues, este reflejo no tiene ninguna función. Está ahí únicamente para hacernos soñar con nuestras antiguas y locas excursiones a través de los bosques africanos, agarrados a un pelambre que sin embargo dejaba filtrar el sonido tranquilizador del corazón materno.

Su inutilidad actual nos demuestra que existía antes de nosotros y que si la naturaleza lo ha sacrificado ha sido, sin duda, porque ha encontrado un medio aún más elegante de permitir a la hembra criar a sus retoños.

Mientras esperaban la aparición de este hallazgo, las primeras madres humanas debieron de verse obligadas a vigilar atentamente a sus crías, pues la sabana estaba poblada de predadores.

Retenida en su hogar rudimentario, la mujer tuvo que resignarse a abandonar a la manada de machos que salían cada día de caza. Como es natural, si se terciaba, podía intentar una salida con sus hijos un poco mayores para hurtar unos cuantos huevos de los nidos, o, sobre todo, para recoger unas pocas bayas silvestres, granos o raíces. Pero la edad de su hijo más joven establecía un límite a sus desplazamientos.

300 gramos de carne por día y persona

Además de la inmadurez de sus crías, la naturaleza hizo al hombre otro regalo envenenado que iba a revolucionar todo su futuro. Dependientes ya de la madre, nos hizo también dependientes de las proteínas.

Biológicamente, todo ser humano necesita para vivir 80 gramos de proteínas al día. Nuestro metabolismo puede prescindir del azúcar o de la grasa (glúcidos o lípidos). Los diabéticos y los hipercolesterolémicos nos lo demuestran cuando siguen bien su régimen. Pero las proteínas, en cambio, son indispensables para la vida. Dirigen el mantenimiento de nuestros tejidos, nuestras cicatrizaciones, el funcionamiento de nuestra memoria, el crecimiento de nuestros cabellos. El niño que crece las necesita de manera especial, pues su cerebro está formándose y en ningún otro momento las carencias serían tan graves.

Ochenta gramos de proteínas significan trescientos gramos de carne, incluidos los desperdicios. Una madre rodeada de sus tres crías no puede sobrevivir durante mucho tiempo sin el equivalente de un kilogramo de carne al día.

La inmadurez y la vulnerabilidad de las crías, asociadas a su necesidad absoluta de proteínas, crearon las condiciones ineluctables y lógicas de una nueva elección para la madre. O abandonar a sus crías y dejar que murieran de desnutrición, o pedir ayuda a los machos, reyes de los cazadores de proteínas.

La elección no debió de prolongarse mucho, y es de este periodo, hace tal vez uno o dos millones de años, del que data la toma del poder por el hombre.

Lo que hoy somos biológicamente se grabó lentamente en nuestros genes, en un periodo en que la mujer, para ser madre, no podía sobrevivir sin la ayuda de un macho.

Podemos no valorar esta situación, puede parecernos totalmente inadecuada hoy en día cuando las proteínas en polvo abundan en los supermercados. Esta estructura está en nosotros y solo podría cambiar si fuera posible manipular nuestros genes.

Es muy probable que una modificación de este tipo liberara por completo a las mujeres de este ascendiente masculino que tal vez no tenga ninguna razón de ser.

Pero mientras esperamos ese día, debemos admitir sin duda que existe, y que todo intento de ocultarlo y combatirlo exige muchos esfuerzos y corre el riesgo de perturbar el equilibrio femenino y la armonía familiar.

El vínculo sexual en el origen de la familia

Nos habíamos quedado en el macho cazador al que la hembra acudía a pedir proteínas para ella y sobre todo para sus crías. ¿Qué razón podría haber para compartir el producto de su caza con ellas? Ninguna, pues tenemos muchos motivos para creer que en aquellos tiempos remotos el hombre no tenía aún conciencia de su paternidad. Esto puede parecernos extraño, pero si se piensa bien, no existe un vínculo causal evidente entre el acto sexual y la fecundación. Todavía en nuestros días existen en Nueva Guinea y en Australia pueblos primitivos a los que semejante idea no se les ha ocurrido aún.

Para los primeros cazadores humanos, las crías salían de la carne de las hembras; solo les pertenecían a ellas. Ellos no estaban programados ni para reconocerlas ni para amarlas, y sobre todo no lo estaban para ayudarlas a sobrevivir alimentándolas.

Estábamos ahí en una encrucijada de nuestra existencia todavía incierta. Lo humano amenazaba con apagarse por falta de humanidad. Para evitar este naufragio, la naturaleza tuvo que tomar cartas en el asunto una vez más y añadir el último parámetro que cerraría el círculo de la sexualidad humana.

Lo que el padre no quería hacer por unos hijos no reconocidos había que intentar hacerlo por la madre. Pero, para ello, era indispensable que esa hembra anónima se convirtiera en su hembra y que se estableciera entre ellos un vínculo suficientemente personalizado. Este vínculo tenía que ser estrecho y sólido, para que pusiera empeño en cazar, no solo para él, sino también para otras tres o cuatro bocas inocentes y vulnerables.

La naturaleza ha querido que este vínculo sea sexual e individualizado. Conocemos dos especies en las que este vínculo existía ya: los gansos y los gibones, las dos capaces de una vida de pareja sólida. Es curioso observar que estas dos especies comparten con nosotros el curioso monopolio del «tabú del incesto». Estos dos animales, llegados a la edad adulta, no copulan nunca con su madre, y rara vez lo hacen entre hermanos y hermanas. Habría mucho que contar sobre esta particularidad que, según nuestros más eminentes etnólogos, sería la piedra angular de nuestras relaciones sociales.

Una diferencia fundamental separa el vínculo que nos hacía falta del que la naturaleza había creado ya para gibones y ánsares comunes. Ninguno de estos dos tipos de animales necesitan proteínas para sobrevivir y, sobre todo, sus crías son muy pronto autónomas. El bebé humano tiene que esperar hasta su segundo año antes de liberarse parcialmente de su madre, y es muy probable que durante este tiempo hermanos y hermanas hayan llegado a añadir su cuota de vulnerabilidad a las cargas del padre cazador.

El vínculo debía ser, pues, sexual, personalizado y, sobre todo, definitivo. Vamos a ver ahora cómo resolvió la naturaleza esta dificultad aparentemente insalvable.

Las ocho condiciones sexuales que han permitido el amor humano

La larga marcha creativa que llevó hasta la cría de hombre estuvo a punto de detenerse en su cuna. Su cerebro, bien preparado para todas esas futuras posibilidades, chocaba con el obstáculo de su dependencia inevitable de las proteínas y con la de un macho egoísta.

La naturaleza no aceptaba renunciar a su más bella invención, y al comprobar que, por primera vez, la madre no era suficiente, se sintió en la obligación de buscarle un padre. Para ello elaboró ocho modificaciones que revolucionaron la sexualidad humana.

La única hembra siempre disponible sexualmente

En todos los mamíferos, la época de celo es un acontecimiento esperado que alegra un poco su vida rutinaria. Cazan, se alimentan y duermen. Nacen y mueren bajo el sol de los trópicos, y, sobre todo, esperan con impaciencia los primeros signos del despertar del celo de las hembras.

Algunas especies tienen mucha suerte y este periodo de animación se repite con bastante frecuencia. Es el caso de ciertos roedores, como el conejo, de gestaciones rápidas y frecuentes, en las que la hembra es receptiva de ocho a diez veces al año.

El elefante, mucho menos afortunado, tiene que esperar casi cinco años, y la contracepción no es desde luego su principal preocupación.

Los monos habían innovado ya mucho inventando el estro, gracias al cual la hembra se volvía receptiva durante los cinco días al mes que rodean a la ovulación. La hembra humana había llegado hasta ahí, pero esto no era suficiente para conservar a un macho de forma duradera. La naturaleza hizo un último esfuerzo y transformó a la mujer en una superhembra completa y definitivamente receptiva. ¡Qué maravillosa oportunidad para todos aquellos machos que no habían inventado todavía la televisión! Estaba bien cazar, pero estaba igualmente bien regresar al seno de la horda para encontrarse con unas hembras que ya no mordían si intentaban montarlas subrepticiamente por detrás. El único problema era ser de los primeros para tener la seguridad de encontrar a una que hubiera quedado disponible. Los más fuertes y los dominantes eran, como es natural, los mejor servidos.

Esta primera medida había hecho que los machos fueran menos egoístas, pero no siempre favorecía a las madres de familia numerosa, para las cuales los machos se resistían a alimentar tantas bocas desconocidas. Había que seguir innovando y encontrar el medio de personalizar la relación.

La única hembra que hace el amor de frente

Hasta ese momento, todas las hembras de la tierra atraían al macho por detrás, por lo que no tenía nada de extraño que las señales emisoras sexuales de todas las simias se encontraran inevitablemente en la parte inferior del lomo. Unas buenas nalgas bien formadas, bien rosadas y brillantes, visibles en todas las épocas y desde lejos. Dos hemisferios en los cuales no crecía ningún pelo que pudiera atenuar su efecto. Y, un poco más abajo, una vulva bien perfilada, con labios mayores y menores de color rojo carmesí, como un faro de señalización. Por último, para hacer más picante el mensaje, unas potentes glándulas sudoríparas que exhalaban un olor a almizcle para los machos un poco miopes.

Todos estos mensajes contribuían a canalizar la fuerza de la virilidad en torbellino que terminaba en la parte inferior del lomo. El amor era anónimo, y un lomo merecía la pena tanto como otro.

Una vez concluido el asunto, la hembra se dedicaba a sus ocupaciones y, si se había hecho bien, ni siquiera sabía a quién se lo debía.

La segunda innovación puso fin a esta extraña relación anónima. Los primates han tenido siempre los medios de reconocerse unos a otros. Este hecho es admitido por todos los especialistas, que saben que el reconocimiento mutuo se establece gracias a los rasgos del rostro. Los ojos y la mímica están tan diversificados que todo riesgo de confusión queda excluido.

Y la naturaleza golpeó por segunda vez con su varita mágica, y la mujer erguida se presentó al hombre de frente. Desde ese día el macho sabe quién le da su placer. Tendido sobre su mujer, mientras duraba su contacto sexual, el hombre pudo, con los ojos abiertos, asociar mentalmente el crescendo de sus emociones sexuales, el vértigo irradiado de su orgasmo y los rasgos distintivos del rostro de su hembra. Era por fin la verdadera condición del reconocimiento personalizado y una base posible de apego. Si la palabra tiene realmente un sentido, fue sin duda ese día cuando comenzamos a «hacer el amor».

Pero el juego no había terminado. Para que este milagro se inscribiera en lo cotidiano necesitaba algunos retoques. Para poder hacer el amor de frente, era necesario también y sobre todo ser atraído de frente. No era razonable seguir siendo atraído por unas nalgas redondas y rosadas y unos labios mayores vaginales rojos para de pronto darle la vuelta a la situación en el último instante para mantener una relación de frente. Para infundir más armonía a toda la partitura, era necesario que también los desencadenantes sexuales se pusieran a emitir de frente.

Y eso fue lo que sucedió, pues la naturaleza es coherente y no deja nada al azar.

La única hembra que tiene pechos permanentes

Desde hacía millones de años, los primates se sentían atraídos por unas nalgas redondas y rosadas, diabólicos hemisferios cargados de voluptuosidad. Un mensaje tan antiguo no podía ser olvidado tan pronto. Había que conservarlo y la naturaleza inventó algo similar: dos pechos contorneados y redondeados situados de frente y cruzando el pecho. ¡Querías curvas, y querías dos, pues las tendrás y desde la pubertad! Observa bien la aparición de esa suave ondulación que sobresale y que se curva rápidamente. Por supuesto, los otros monos también poseen ubres, pero son intermitentes y solo existen durante el periodo de lactancia, periodo en el que la hembra no es receptiva y en el que sus glándulas mamarias incitarían más bien a los machos a evitarlas.

Al margen de su función de adorno sexual, el pecho femenino actual participa activamente en el acto sexual mismo. Durante la fase de excitación, aumenta y se vuelve protuberante. Dicho aumento puede alcanzar un veinticinco por ciento de su volumen. El pezón entra en erección desde las primeras caricias y puede duplicar su longitud. También se dilata, y su color pigmentado se vuelve más oscuro. Además, y esto confirma su papel de órgano sexual, su sensibilidad se vuelve muy erógena y numerosas mujeres afirman que pueden obtener un orgasmo por medio de la sola manipulación de los pezones.

Otra confirmación viene dada por el hecho de que este órgano representa una molestia funcional para todos los movimientos del hombro. Su peso y su posición en la raíz del brazo incomodan los movimientos de gran amplitud. Los médicos deportivos nos aseguran que las dificultades de las campeonas de tenis con el servicio se deben esencialmente a la presencia de las glándulas mamarias. Si la evolución ha aceptado semejante desventaja es porque el pecho definitivo entraba a partir de entonces en la fórmula mágica del esquema sexual femenino y como tal compensaba con creces esa deficiencia articular. Sin duda, estos pechos permanentes y tensos son una innovación y es absolutamente imposible pensar que semejantes modificaciones, situadas por completo bajo la dependencia de las hormonas de la feminidad, no tengan un papel de desencadenante sexual. Cualesquiera que sean la cultura o la civilización en que se piense, un hombre tiene siempre un momento de emoción y un destello de excitación en la mirada ante un bonito pecho. No nos corresponde a nosotros demostrarlo, pues la humanidad entera se encarga de ello desde hace mucho tiempo.

Un par de labios que sin duda recuerdan a otros

La segunda señal sexual de las hembras de los primates es la emitida por los propios labios vaginales mayores, que se destacan como una herida viva entre los dos muslos peludos y pardos de las monas. Solo son visibles de espaldas, pero de manera permanente, en las hembras que viven y se desplazan «a cuatro patas».

La mujer, al tener acceso a la postura erguida, perdió para siempre esa señal que durante tanto tiempo había electrizado las sabanas. Pero el poder de atracción de esta configuración, tan bien anclada en el mecanismo sexual del macho, no podía esfumarse sin dejar huellas. Siendo invisible la abertura vaginal a partir de entonces, aparecieron en medio del rostro, y rodeando la boca, otros labios que, en virtud de cierta semejanza, conservaban una coloración sexual.

Los primates tienen desde luego una boca que se reduce a una abertura seca que solo sirve para la alimentación; pero en ningún caso poseen esos rebordes pulposos y rosados, carnosos y estriados que convierten los labios humanos en un adorno sexual puro y simple.

En efecto, a excepción de los clavos de tapicero y de las agujas de costurera que se pueden sostener en la comisura de los labios para conservar las manos libres, este órgano no tiene ya ninguna función en nuestra especie. Su existencia sería pues incomprensible si no se hubiera encontrado una nueva dimensión: la oralidad sexual, y una nueva ocupación: besar.

Pero hay que reconocer que, si bien los labios adoptaron en nuestra especie una coloración sexual muy clara, esta referencia magnética no es un monopolio femenino; los labios de los hombres tienen también el poder de conmover a la mujer.

Se trata, que yo sepa, del único emisor erógeno que es totalmente bisexual. Pero el beso, que es tan específicamente humano, ¿habría podido servir alguna vez para la comunicación si los labios carnosos de la mujer no hubieran podido aplastarse contra un equivalente masculino?

El círculo mágico de las caderas y los muslos

Una vez implantado el mensaje de los pechos y de los labios, la hembra humana se volvió atractiva de frente. La inversión permitía que estas señales desempeñaran su papel con toda tranquilidad. Los rasgos faciales individuales y los encantos sexuales serían descubiertos y reconocidos con una sola y única mirada y de manera inequívoca. Pero no todo se hallaba en su lugar, y la obra estaba lejos de ser representada. Para que ocurriera el último acto, el acto supremo que permite la tácita reproducción de la especie, el hombre tenía que saber también dónde poner su semilla. La fachada de entrada era reconocida, había que saber dónde se encontraba la puerta para poder abrirla y entrar. En otras palabras, al dejar de ser visible la vulva de frente, era necesario crear otra señal que la sustituyera. Al haber sido utilizados ya todos los materiales preexistentes, debíamos innovar completamente. Y fue en ese momento concreto de nuestra revolución sexual cuando intervino la invención decisiva, exclusivamente humana, y que es tal vez el núcleo del tema de este libro.

Pensemos en una mujer de pie y de frente, y consideremos como centro de la operación la entrada de la vulva, tan bien oculta bajo el triángulo de vello púbico. Y tracemos, con un compás, un círculo de veinte centímetros de radio. Este círculo pasa por el ombligo, dibuja la curva superior de las caderas, continúa después por la curva de los muslos, la que hoy se considera como las chaparreras. Este círculo imaginario existe en los primates machos o hembras, pero no tiene nada especial que llame la atención.

Pero es ahí, en este territorio neutro, donde aparecerá de pronto el destello mágico de la última mutación femenina. Este círculo se redondeará súbitamente, adquirirá tejido adiposo, se congestionará, se tensará. Esta innovación es una adquisición exclusiva de la mujer que la distingue de manera inequívoca del hombre. Sin embargo, no tendría ningún sentido si, al mismo tiempo, las estructuras del macho no hubieran sido programadas para que fuera sexualmente sensible a ella. Su mirada será captada por esta nueva señal, y sus manos, informadas por su sentido del tacto, percibirán la consistencia firme y tensa de estas partes carnosas. Es ahí, en el corazón de la redondez táctil y visual, donde se encuentra la reina oculta de esta magnífica partida de ajedrez que jugó la naturaleza con los sentidos asombrados de los machos humanos.

Si los hombres han preferido alguna vez a las mujeres con curvas, fue sin duda ese día el que escogieron para decidirse, y si millones de años después, atrapados en un laberinto de culturas y modas, nos preguntamos por el sentido oculto de estas redondeces, es porque hemos utilizado nuestros ojos para leer libros de aprendices de brujo y porque hemos olvidado el gran mensaje de estas curvas mágicas.

Este libro tiene un sentido y un fin: rehabilitar las curvas femeninas que están en el corazón del hombre. Negar este mensaje es un poco rechazar la más bella innovación proyectada por la naturaleza para soldar el vínculo humano.

La primera hembra primate sin pelos

Un rostro identificable, una boca con sus dos labios rojos y pulposos, dos pechos hemisféricos y salientes que recuerdan respectivamente a la vulva y las nalgas, unas caderas y unos muslos redondeados y contorneados que forman un círculo magnético centrado en la entrada de la vagina. El armazón estaba terminado, y ya no quedaba más que rematar algunos últimos detalles de decoración. La señalización era buena pero no perfecta.

Fue más o menos hacia este periodo cuando la hembra humana perdió sus pelos. Los científicos de la evolución se han preguntado durante mucho tiempo para qué podía servir esta mutación. Si la mujer es la única hembra de mamífero sin pelambre, es naturalmente por una buena razón. El recién nacido humano tiene siempre un reflejo de prensión, pero su madre no tiene ya un pelaje al que agarrarse. Si se nos priva de uno de los términos de esta ecuación, es porque la innovación presentaba una ventaja preferencial. Desmond Morris, autor de *El mono desnudo* y eminente etólogo que sabe de qué habla, y que durante mucho tiempo concentró su atención en la desnudez de nuestra especie, fue el primero que sugirió el posible papel que representó esta mutación en la señalización sexual.

En efecto, ¿para qué podía servir este nuevo pecho permanente si tenía que permanecer oculto detrás de una pantalla de largos pelos oscuros? ¿Y la forma tan bien dibujada de esos labios bajo una barba disimuladora? Las caderas y los muslos, por su parte, no formarían más que un círculo mágico fantasma, y esa soberbia consistencia elástica y carnosa desentonaría bajo el pelo.

El primer *striptease* de la historia de la humanidad comenzó con esta depilación biológica, y tal vez la mujer apareció así en su desnudez definitiva.

Algunos especialistas en anatomía comparada han podido pretender que el pelo había desaparecido por razones de adaptación climática y que el cazador humano debía de tener mucho calor bajo el sol de los trópicos cuando corría detrás de su caza. El argumento es de corto alcance, cuando sabemos que la chita y el leopardo, predadores mucho más rápidos que él, han conservado intacto su pelaje.

Por último, esta hipótesis no explicaría sin duda por qué el hombre, que cazaba para su hembra, iba a tener más pelos que ella. La única razón posible y coherente es de origen sexual. La desnudez expone y realza las ventajas femeninas y si, en nuestros días, la mujer se viste con tanto refinamiento, es para desvestirse mejor ante aquel a quien quiere seducir.

Los únicos pelos que ha conservado cubren zonas que no tienen ninguna particularidad sexual, como los brazos y las piernas, o bien zonas que, por el contrario, están destinadas a llamar la atención. Este es sin duda el caso del triángulo púbico, que se encuentra como por casualidad en el centro del tiro al blanco del círculo mágico caderas-muslos. Y el valor evocador de esta pequeña pelambre triangular no engaña a nadie, pues cuando en una playa de moda caen uno tras otro los protectores de la desnudez, queda siempre un último bikini triangular para ocultar este poderoso desencadenante.

Bajo las axilas se encuentra un último mechón de pelos que han resistido a esta develación de la depilación. Como ya hemos visto, desempeñan un papel fundamental en la mujer al actuar como trampa para olores.

En todos los primates de sexualidad posterior, los olores afrodisíacos surgen también por detrás. Proceden de unas pequeñas glándulas diseminadas alrededor de la vulva y del ano, y todos los monos, antes de hundir su pene, husmean un poco por ahí.

En el hombre, este mensaje oloroso existe todavía en estado vestigial, pero su intensidad ha disminuido mucho y, si bien puede darse el caso de que sirva todavía, siempre es una sorpresa descubrirlo. En el cuerpo a cuerpo de frente, el rostro del hombre está pegado al de la mujer, y por más que los olores posteriores se esfuercen por difundirse, a menudo llegan demasiado tarde. En cambio, a los que están prisioneros de los pelos de la axila no les cuesta demasiado llegar a la nariz del hombre para mantener con eficacia su nivel de excitación.

El olor sexual tiene mala reputación en nuestras culturas esterilizantes. Es un misterio que no logro dilucidar.

Se dice que Enrique IV de Francia prohibía a sus favoritas que se lavaran. La pequeña historia de nuestros reyes es lo bastante importante para que haya llegado hasta nosotros, pero no hay ninguna razón que nos haga pensar que lo que hacía el rey no lo hicieran sus súbditos. El siglo XVII no había puesto todavía el olor fuera de la ley. En nuestros días se considera inconveniente olfatear, y es lamentable observar cómo se las ingenian para fabricarnos desodorantes químicos para ocultar olores naturales cuyas funciones son altamente especializadas.

Los otorrinolaringólogos saben a la perfección que el olfato está absolutamente vinculado a la sexualidad. Ellos también tratan a menudo la impotencia masculina y las deficiencias de la libido por medio de estimulaciones eléctricas de las mucosas del olfato.

El almizcle (en francés, *musc*) es un éster oloroso que todos los mamíferos segregan durante la época de celo. Los *muscadins* (petimetres) eran jóvenes presumidos que no dudaban en hacer uso con ostentación de sus ventajas.

Los tiempos han cambiado mucho y, en nuestra época, si bien está claro que vivimos inmersos en una cultura hipersexualizante, lo es favoreciendo a ultranza solo el erotismo visual.

La imagen reina, y los contenidos que emiten las pantallas de televisión ni siquiera asustan a nuestros hijos pequeños. Mi papel aquí no es discutir la elección hecha por nuestra cultura occidental, sino simplemente señalar el desequilibrio absoluto que se estableció entre la vista y el olfato. Haría falta otro libro para llegar a calibrar las causas de esta esterilización olfativa en gran escala que ha hecho sufrir a nuestras mujeres, y de esta higiene seudosanitaria que consiste en pasar el tiempo bajo la ducha y después aplicar un exfoliante químico sobre todo lo que respira o huele. Y cuando estamos bien seguros de que no queda nada natural y personal, ponernos el perfume de moda que se encontrará en todas las pieles.

Si es este arquetipo de lo limpio el que quieren introducir a la fuerza en nuestro inconsciente colectivo, es un señuelo que todo médico puede y debe denunciar. Pero hay que acabar con los olores sexuales, pues eso nos llevaría demasiado lejos. Solo hay que saber que, como en el caso de las curvas femeninas, los hombres esperan a que la tormenta amaine, quieren sin duda jugar el juego social que consiste en ceder a la regla establecida por los tabúes del momento, repudiar la redondez y el olor, pero inconscientemente siguen vibrando por ellos. Y las mujeres lo bastante enflaquecidas para responder a los cánones de la delgadez extrema, con suficiente dosis de desodorante y esterilizadas hasta la semicastración, se sorprenderán a veces, pero siempre un poco tarde, al ver a sus maridos o sus amantes apasionarse por una mujer más natural, más radiante, y por el olor sano y vivo.

El fantástico mundo de las pupilas femeninas

Podrás pensar quizás, al leer la historia de la revolución sexual humana tal como la he descrito, que es alegórica, y probablemente novelada, o que le he agregado suficientes ingredientes para hacerla comestible. Nada de eso, y lo que acabas de leer sobre la aparición de la feminidad es la hipótesis más verosímil y más compatible con los datos actuales de la etología y la antropología.

Es posible que las diversas transformaciones y sus modalidades no fueran tan esquemáticas, pero habríamos necesitado un tomo entero para exponer una evolución que abarca al menos un millón de años. Una cosa es cierta, y es que nuestros antepasados eran primates que tenían la apariencia de los monos antropoides actuales. Sobre este punto no hay ningún científico en este planeta que pueda contradecirme. Y lo que sin duda es más seguro es que hoy somos lo que somos. Conocemos el punto de partida y el desenlace. Los medios utilizados por la naturaleza para salvar esta distancia no pueden sino asemejarse a los que utiliza habitualmente para crear. Y la lógica de su marcha evolutiva, que conocemos bien por haberla estudiado y por haberle dado el rango de ley en el resto del mundo animal, no puede cambiar súbitamente con el pretexto de que es del hombre de quien se trata.

Este preámbulo, para garantizar al lector que no nos alejamos de la realidad, adquirirá ahora toda su utilidad, pues vamos a abordar un fenómeno tan sorprendente y tan singular que parece ficción novelada.

En 1967, un profesor de psicología de la Universidad de Chicago, Eckhard Hess, hizo un descubrimiento increíble que fue y sigue siendo todavía hoy un llamado de atención al conformismo de la psicología tradicional.

Este descubrimiento, al margen de su sorprendente belleza, nos interesa especialmente, pues viene a añadir un poco más de peso a la teoría del vínculo personalizado por la sexualidad de frente.

Eckhard Hess sabía que la pupila del ojo humano servía como diafragma de la luz, y que todos poseemos un reflejo que contrae la pupila ante el sol y la dilata en la penumbra. Pero lo que nadie sabía, y él descubrió por casualidad, es que esta pupila debía tener otra función, ya que en igualdad de luz seguía presentando notables variaciones de diámetro.

Hess formuló la hipótesis de que nuestra pupila se abría o se cerraba en función de la atracción o la repulsión que nos provocara el objeto o la persona a la que mirábamos.

Esta hipótesis era escandalosa en el contexto estadounidense de la época, en el que toda la psicología estaba impregnada de dogmas culturalistas. ¿Cómo podíamos sentir una atracción o una repulsión refleja sin haber analizado lógica y racionalmente las razones que nos conducían a ella? Proponer semejante hipótesis suponía correr el riesgo de ser marginado por la sociedad científica.

Hess fue, pues, prudente y se propuso hacer experimentaciones muy rigurosas. Trabajó con estudiantes de ambos sexos a los que proyectó sucesivamente un gran número de fotografías que representaban objetos, personas y situaciones de todas clases. Al mismo tiempo, midió de manera extremadamente precisa la menor modificación de su pupila. Los resultados fueron elocuentes y confirmaron sin lugar a dudas la loca hipótesis de partida.

La pupila de los estudiantes masculinos no se modificaba en presencia de fotografías de monumentos, de paisajes o de objetos carentes de una significación emocional especial. En cambio, la fotografía de una mujer desnuda, deslizada en medio de las otras, desencadenaba una rápida dilatación. Una fotografía de un hombre desnudo dejaba en cambio el ojo indiferente.

En la mujer, dos tipos de estímulo se repartían el primer premio de dilatación de la pupila: las fotografías de hombres desnudos y las de bebés sonrientes, y esto incluso en las estudiantes que nunca habían tenido un niño. Era curioso comprobar que el sexo masculino no reaccionaba a la vista de un bebé.

Este reflejo pupilar afectivo, perfectamente inconsciente, venía a confirmar unas aptitudes instintivas profundas, como el instinto sexual o un esbozo de instinto maternal. Esto fue muy mal recibido, y se intentó cubrir con un tupido velo aquellos experimentos escandalosos.

Pero Eckhard Hess los confirmó, profundizó en su reflexión y escribió un libro dedicado en su totalidad a estos trabajos que ofreció al gran público y tituló *Las historias que el ojo nos cuenta*. Este libro nos trae una segunda revelación más sorprendente, si cabe, que la primera y que explica la función y el papel de este reflejo en la comunicación y la sexualidad humanas, lo cual nos interesa enormemente.

Cuando una mujer ve a un hombre que le gusta y al que desea, sus pupilas se dilatan. Esto se ha demostrado ya. Pero lo que es nuevo es que frente a ella ese hombre percibirá la dilatación de sus pupilas, de manera totalmente inconsciente desde luego (y es la definición misma del «desencadenante instintivo» de Konrad Lorenz). Esta percepción transmite un mensaje dirigido a su cerebro arcaico que su computadora consciente no puede comprender. Y, buscando en vano la razón de su emoción, se dirá lo que todos nos hemos dicho o hemos oído tan a menudo: «Tiene algo turbador en la mirada». Lo que demuestra, por si hacía falta, que no sabemos qué. Esta segunda parte de la comunicación fue demostrada por Hess con la ayuda de dos fotografías idénticas que representaban el mismo rostro de una mujer pero una de las cuales había sido retocada para agrandar ligeramente la abertura de la pupila. Aun siendo inapreciable, esta ligera modificación fue suficiente para que una proporción significativa de los hombres que se sometieron a la prueba prefiriera la fotografía retocada.

Por último, Hess aportó su última revelación demostrando que el hombre que percibe sin saberlo la modificación y siente su emoción, reaccionará también, a su vez, con una dilatación de sus propias pupilas.

El círculo de la comunicación se había cerrado: explicaba, sin ninguna duda, el papel fundamental de la mirada en el cara a cara sexual.

Ahora comprendemos tantas cosas que nos parecen mágicas o inexplicables. La belleza de la mirada de una mujer está en parte ligada al recibimiento inconsciente que nos reserva.

Esto explica tal vez, aunque se trata de una hipótesis personal, por qué los ojos claros (azules, verdes o avellana) son en general más apreciados que los ojos oscuros (negros o castaños). La pupila, que es siempre y naturalmente de un negro intenso, forma un fuerte contraste sobre un iris muy claro. La más mínima de sus modificaciones se detecta desde lejos. El ojo de iris oscuro tiene menos suerte y sin duda se elogiará menos su belleza pues «no anuncia el color». Pero, como hemos convenido en decir desde los albores de las civilizaciones, lo que pierde en belleza lo gana en misterio y en profundidad, y esta aseveración proverbial encuentra su confirmación en el hecho de que el ojo negro, que contrasta muy mal, no confiará tan ingenuamente sus primeras impresiones.

Esto nos explica sin duda por qué, durante muchísimo tiempo, las cortesanas modificaban su mirada echándose en el ojo unas gotas de belladona, potente dilatador de las pupilas. La mejora de su poder de seducción compensaba bien el carácter borroso de la visión que de ello se derivaba, y que, por lo demás, debía resultar a menudo providencial.

Esto explica probablemente también la inquietante ambigüedad de la mirada de los grandes adictos a la heroína, que presenta una dilatación de las pupilas muy intensa y permanente, que se exagera hasta la caricatura y se vuelve por ello mismo discernible.

Por último, es sabido que los vendedores de jade chinos leen en las pupilas los precios que piden a sus clientes, y que los negociantes turcos llevan siempre gafas negras cuando compran sus alfombras para estar seguros de no revelar ninguna información sobre sus intenciones.

A modo de conclusión, este pequeño reflejo pupilar nos dice mucho sobre la magnitud de nuestra programación. La comunicación por medio de las pupilas permite saber en qué estado de receptividad está nuestra antigua pareja o nuestra nueva conquista. Ningún mono posee esta maravilla, y esto nos demuestra una última vez que, si nos pusimos de pie y si hacemos el amor de frente, es para saber con quién lo hacemos y para quedarnos con la que más nos satisface.

La única hembra que conoce el orgasmo

Hemos llegado casi al término de nuestra larga investigación sobre los medios que la naturaleza ha elegido para crear el vínculo sexual de largo alcance. A este vínculo que hemos visto enriquecerse con cada nueva adquisición tenemos casi el derecho de darle el nombre de amor humano. No quedaba ya más que una última modificación esencial para la mujer: el acceso al orgasmo.

De nuestra extraña propensión a proyectar nuestra conciencia sobre el comportamiento de los animales nos viene la idea falsa de que la mayoría de las hembras obtienen también placer durante la copulación. Nada más falso. Para quedarnos simplemente en los primates, de los que formamos parte, ninguna hembra de gran mono ha conocido nunca el orgasmo.

Su celo espectacular no es más que una tensión instintiva, ciega, que la impulsa inconscientemente a comportarse sexualmente. En unos segundos y una decena de golpes de riñones, un macho babuino o chimpancé habrá obtenido su placer, pero su compañera, en absoluto apaciguada, se marchará, sin mirar siquiera hacia atrás, en busca de otros machos igual de apresurados.

Semejante comportamiento, en caso de haberse perpetuado en el seno de la especie humana, habría amenazado de derrumbe la enorme construcción introducida para sellar el vínculo sexual duradero.

La naturaleza le puso remedio dando a la mujer lo que ninguna otra hembra del planeta habría podido obtener: el orgasmo.

Es muy probable que esta innovación sea la más reciente de las mutaciones humanas de carácter sexual.

Los evolucionistas se basan, para afirmarlo, en su fragilidad y su gran variabilidad individual. El orgasmo masculino es en términos de evolución una invención muy antigua, que puede cifrarse en cientos de millones de años. Es un reflejo seguro, bien implantado en la médula espinal, que las perturbaciones culturales no pueden modificar mucho. El orgasmo femenino es frágil, delicado, necesita cierta concentración, incluso la utilización de fantasías operacionales.

La opinión general lo confirma al sostener que la mujer es más «cerebral» que el hombre. Todo esto dice mucho sobre la fragilidad de su orgasmo, que las grandes estadísticas sexológicas no conceden con certeza más que al cincuenta por ciento de las mujeres de entre veinticinco y treinta años.

Para lo que nos interesa, la naturaleza había trabajado mucho en la mujer volviéndola atractiva sexualmente de frente y haciéndola lanzar un poco por todas partes emisores erógenos destinados a estimular y motivar al hombre. Al concluir su obra, la evolución tenía cuatro buenas razones para ofrecer el orgasmo a la mujer:

— La mujer había pedido ayuda al macho para sus hijos inmaduros y ávidos de proteínas. El macho había aceptado por apego a esta hembra, en adelante personalizada. Pero la naturaleza no podía tolerar que la mujer no fuera más que una simple prostituta, aun cuando el objeto de su envilecimiento solo tuviera que ver con la supervivencia de sus hijos. El hombre dará en efecto proteínas, pero también dará placer, y esto es quizás lo que explica por qué el hombre tiene el pene más largo y más grueso que se conoce entre los primates.

— La segunda razón era cerrar el círculo de la comunicación sexual. A partir de entonces, cara a cara, cada cual tendría su placer y lo haría saber mediante toda suerte de manifestaciones. Esto contribuiría al fortalecimiento de la relación personalizada, del vínculo y del amor a secas.

— La tercera razón es mucho más prosaica. El orgasmo, al ser responsable de una intensa descarga nerviosa, deja a la mujer aturdida durante un largo instante, incluso dormida. Este tiempo de reposo horizontal es, en nuestra especie erguida, una condición absoluta para la fertilización. Una hembra simia, una vez hecho lo que hay que hacer, puede perfectamente, si así lo desea, dedicarse a sus ocupaciones. La semilla que acaba de recibir no la abandonará ya que camina a cuatro patas. La mujer, en cambio, al ponerse de pie, perdería inevitablemente, por la sola fuerza de la gravedad, todos sus derechos a la fertilización.

— Por último, al requerir el orgasmo de la mujer mucho más tiempo que el del hombre, este podría sentir la tentación de repetirlo dos veces para dárselo. De este modo, la evolución concedía un incentivo adicional en especie a las madres de familia numerosa.

Conclusión

Hemos llegado al término de nuestra investigación sobre la feminidad biológica. Los animales nos han hablado en el único lenguaje que conocían, el del instinto y la comunicación no verbal. Toda su sexualidad se basa en señales desencadenantes.

Lo que queda en nosotros de animal sigue expresándose por medio de este mismo lenguaje. La redondez femenina es uno de esos mensajes, al igual que el olor de la mariposa, el vientre hinchado del espinoso o el arrullo de la paloma.

He seguido a continuación la génesis de la sexualidad femenina, la revolución que le hizo franquear una frontera a la que ningún otro animal ni siquiera se había acercado nunca.

Erguida, es la única hembra que hace el amor de frente y que está disponible de manera permanente. Para obtener y conservar este privilegio ha tenido que trasladar sus desencadenantes de atrás hacia adelante. Fue en ese momento concreto cuando apareció la inmensa ventaja de las curvas femeninas: pechos redondos, caderas redondas, muslos redondos, el labio redondeado, la pupila redonda, el pezón redondo. Además su figura tiene también una consistencia. Lo que es redondo es tenso, elástico, firme, pleno, moldeable, y la mano del hombre, a la que este mensaje táctil se dirige, no se equivoca. Encuentra en esta plenitud una manera de explorar todas sus posibilidades sensoriales, de jugar solo para el placer de los sentidos a adivinar lo que esta suave pantalla esconde cubriéndolo. Pero, ay del hueso que surge sin protección. Vergüenza por los tendones que sobresalen, o los músculos que se dibujan y no pueden ocultar su dureza. Huesos, tendones y músculos, que sustentan la energía y la fuerza, pueden servir para la agresión. En ningún caso, el hombre que se acerca sexualmente debe verlos o sentirlos. Son símbolos de enfrentamiento; el amor es símbolo de paz, y *no hay acto sexual posible si la mujer no oculta lo que hay de fuerte en ella*. Antes de meterse en la cama, debe dejar sus cuchillos en el vestidor o sustraerlos a la mirada y a la mano del macho. Él inspeccionará ese cuerpo que le cautiva, buscará por todas partes eventuales armas, observará y tocará para estar seguro de poder entregarse por completo, perdiendo una parte de su conciencia y de su fuerza.

El mito de Dalila, al cortarle la cabellera a Sansón mientras él duerme, está en el corazón de cada hombre y, simbólicamente, la mano que se posa en unas caderas o en unos muslos insuficientemente redondos y siente la solidez del hueso y la fuerza de los músculos, esa mano en alerta pertenece a un hombre que no ha sido sosegado, hechizado por la curva y el modelado. La bestia agresiva que cohabita en él con la bestia sexual no le permitirá el acercamiento total a su compañera, y el orgasmo que obtendrá no será tan profundo, tan completo, tan libre como sería necesario. El papel de la redondez consiste en separar estas dos fuerzas que se reparten las motivaciones humanas. Simbólicamente, su función es dormir a la bestia agresiva, hipnotizarla, desarmarla, subyugarla y hacer que muera por un instante para permitir que nuestra magnífica animalidad sexual, liberada de sus dudas, se pierda en la mujer.

Toda nuestra mitología sexual se basa en una oposición simbólica.

El hombre es fuerte, duro, nudoso, musculado, huesudo, peludo y barbudo. Su comportamiento es más agresivo, más directo, rudo y protector.

La mujer es flexible, dulce, pequeña, imberbe y lampiña, y por tanto desnuda, débil, susceptible de recibir seguridad, pacífica y redonda.

Así pues, la redondez no es una simple peculiaridad anatómica, es un componente básico de la feminidad tanto física como mental, y todo intento de desacreditarla es no solo una aberración, sino una ofensa a la sexualidad y a la naturaleza que así ha querido que sea.

Es el último mensaje que he querido transmitir en esta primera parte dedicada a la mujer natural. Habría podido decirlo en dos líneas, y algunos lectores podrían pensar que esto habría sido suficiente. Nada más lejos de la realidad, pues cada día desechamos pruebas contundentes para estar seguros de que no sufriremos su poder de seducción, y sigo estando convencido de que este rodeo por el testimonio animal y el regreso a las fuentes de nuestra génesis sexual eran indispensables.

Ahora, en la segunda parte dedicada a la mujer cultural, voy a contar cómo y por qué llegó el escándalo, cómo una entidad tan esencialmente femenina ha podido ser desnaturalizada, desacreditada y finalmente invertida, y qué vía crucis inconsciente han debido seguir la mayoría de las mujeres occidentales para llegar a suspirar por un estado tan incómodo como la delgadez o la ausencia de formas.

Mi libro no tiene como objetivo filosofar sobre la naturaleza biológica de la mujer; mi planteamiento es más concreto. Es el de un nutricionista que ve cada día los perjuicios que causa la carrera desenfrenada de la delgadez. Lo que tiene de heroico para las que lo consiguen y lo que tiene de frustrante para las que fracasan.

Sé hasta qué punto este combate, en el que intervengo como técnico y como apoyo psicológico, puede ser largo y doloroso, y por ello me sublevo contra las que emprenden una «cruzada sin cruz», contra las que no dudan ni un instante en la carrera contra la inanición, para encontrarse desnutridas, huesudas en la cama de un marido o un amante que nunca había querido eso. Sigo estando convencido de que el veto a la redondez es un pacto hecho con la *banalidad* en torno al cual merodean permanentemente la frigidez y la impotencia.

SEGUNDA PARTE

CURVAS Y CULTURA

Al término de la primera parte, tengo la firme convicción de haber utilizado todos los argumentos naturales y biológicos puestos a mi disposición para dar un poco de seriedad a la noción de redondez.

Espero pues, simple y llanamente, que al lector no le queden ya dudas sobre la *utilidad* de las curvas, pues esta convicción no debe estar ya reservada a los biólogos. La curva femenina no es un elemento cultural que pueda o no ceder a la elección de una sociedad. Es un universal femenino que aparece en la pubertad con la regla y los primeros pelos púbicos, con un esbozo de pechos que comienzan a sobresalir, con el afinamiento de la voz y los primeros olores femeninos.

Asociada a estas otras manifestaciones, la redondez emite su primer mensaje que significa claramente que la jovencita de doce o trece años a la que considerábamos una niña se está convirtiendo en una mujer, y si bien los padres parecen hacer caso omiso, las madres, en cambio, no se equivocan, y empiezan a hablar de la píldora y del fruto prohibido.

El segundo mensaje es más elocuente y se dirige en menor medida a los progenitores. Va destinado a los ojos de los chicos, tal vez todavía no a las manos, aunque eso no tardará en llegar. Dice con toda su ingenuidad:

«Estas formas que ves aparecer, estos pechos, estas caderas, estos muslos, míralos bien y no pienses en nada. En estos pocos centímetros que nos separan hay una trampa que tú ni te imaginas y que trabaja intensamente para mí.» Es el mensaje auténtico de la sexualidad que «desencadena» sin dar sus razones.

Así pues, la situación está clara. La mujer luce sus atributos distintivos. El hombre los percibe y las emociones que siente permiten pensar que se va a establecer una comunicación como la que existe en todas las especies y en todas las civilizaciones conocidas hasta la nuestra. Sin embargo, no es necesario ser un agudo observador para comprobar que la mujer occidental de nuestros días sabotea deliberadamente este esbozo de comunicación sexual al rechazar su redondez.

Conocemos otras situaciones en las que ha podido ser inducida a modificar una parte de su herencia animal: el biberón y la contracepción. Pero en estos dos casos concretos había al menos buenas razones lógicas: un inestimable beneficio en independencia y en comodidad, unos bebés que no se veían afectados en exceso y una familia armoniosa más fácil de criar. Ahora bien, en el caso que nos ocupa, este rechazo no tiene ningún sentido y plantea un singular problema que será tratado en esta segunda parte.

Antes incluso de comenzar debo decir que, situándome en una perspectiva puramente biológica, considero que esta alergia irracional hace sufrir al hombre y a la mujer un serio perjuicio.

Analicemos y busquemos a quién beneficia semejante crimen de lesa naturaleza. Puedo tranquilizar al lector de inmediato, la mujer no tiene nada que ver. Los responsables están en otra parte y, sin tratar de excitar tu curiosidad, te confesaré que están bien escondidos y que trabajan en la sombra. Desenmascararlos será también el objeto de esta segunda parte, y nuestra persecución no será más que un juego, pues para hacer que confiesen habrá que acosarlos, y cabe la posibilidad de que a lo largo del camino hagamos descubrimientos que no siempre tengan un olor tranquilizador.

Comenzaremos, pues, examinando la parte agredida, es decir, el cuerpo femenino, y estableciendo cuáles son los cánones actuales de la feminidad mutilada. Será fácil compararlos con los de otras culturas y otras civilizaciones en las que actuaban con total inocencia.

A continuación examinaremos las consecuencias de este conflicto naturaleza-cultura y la importancia del perjuicio causado a la mujer y al hombre de nuestros días.

La parte más sorprendente será el estudio de las causas que han empujado inconscientemente a las mujeres a sabotearse, rechazando uno de los medios más bellos y más seguros que la naturaleza ha puesto a su disposición para gustar. Esta automutilación se articula sobre un conjunto de hechos culturales tóxicos que dicen mucho sobre el debilitamiento de nuestra civilización.

Los responsables quedarán entonces al descubierto y el lector se sorprenderá al enterarse de que siempre los ha considerado como sus aliados más seguros.

PANORAMA DE LAS CONCEPCIONES DE LAS CURVAS

Muy a menudo, en el ejercicio de mi profesión, recibo en el consultorio a mujeres que aspiran a perder peso o volumen. Y lo que más me llama la atención es discernir intensas diferencias en cuanto a las motivaciones de sus planteamientos. El peso y el volumen, que al profano podrían parecerle conceptos asociados, dan lugar en la mayoría de las mujeres a reacciones muy diferentes.

La noción de peso es neutra, una noción puramente cuantitativa que trastorna, pues provoca una molestia funcional en todos los actos de la vida diaria. Bien distribuido, puede ser tolerado durante bastante tiempo, y la mujer que se decida a pasar a la acción, por rechazarlo, habrá alcanzado sin duda un umbral límite de incomodidad.

La noción de volumen es cualitativa, y la redondez de la que hablo está mucho más ligada a su distribución que a su masa.

Una mujer redonda no es una mujer gorda, es una mujer normalmente constituida que tiene unos pechos, unas caderas y unos muslos perfectamente señalizados. Pero es esta señalización propia y específicamente femenina la que es objeto de la alergia más virulenta.

Cuando pregunto a una mujer por qué le gustaría reducir el volumen de sus muslos, compruebo que siempre se produce un instante de sorpresa y de vacilación. Después me mira, de manera un tanto extraña, como si no comprendiera mi pregunta. Eso es algo que debería ser evidente, y casi siempre se contenta con mirarse los muslos y palpárselos para que yo comprenda bien que mi pregunta carece de sentido.

Pero entonces insisto, pues soy curioso por naturaleza: «¿Tal vez no le gustan a su esposo?».

Esta pregunta desencadena más bien una sonrisa de complicidad y que dice mucho de ese pobre desdichado que sin duda no está al corriente de la iniciativa de su esposa.

Y si quien me hace la consulta es una muchacha joven, no puedo menos que preguntarle si sus caderas le plantean un problema de relación con los chicos de su edad. Paradójicamente, la respuesta es siempre negativa.

Entonces, insisto siempre un poco pues me gustaría oír, pero sigo esperando, una respuesta lúcida: «¿Es por sus compañeros de la oficina, sus amigos, su familia?».

Y la respuesta, inevitablemente, incansablemente, se repite como un *leitmotiv*, como si todas esas mujeres se hubieran puesto de acuerdo: «Es por mí, doctor, por mí cuando me veo en un espejo. Son horribles, estos muslos, estas caderas, son feos, es evidente».

Muy bien, ya está, la hipnosis colectiva continúa actuando. Y no tengo nada más que añadir.

Hubo una época en que intentaba argumentar, comprender y a veces incluso oponerme, dando a entender que esos rasgos podían agradar y que no había nada en ellos que no fuera perfectamente natural.

Pero dejé de hacerlo por dos razones muy concretas.

En primer lugar, porque chocaba de frente contra una pared y percibía un discurso consciente que me hablaba de estética, y un discurso inconsciente que entonaba una consigna cultural profunda y arraigada en un lugar al que yo no tenía acceso.

La segunda razón es mucho más sencilla y, cuando insistía demasiado, sentía que mis argumentos podían ser mal interpretados y hacer pensar que tomaban un giro demasiado personal.

De modo que fue en el marco de mi profesión, con la ayuda de estos testimonios cotidianos, como percibí la inmensa intoxicación de todas estas mujeres. Pero mi posición de observador es especialmente privilegiada. Sigo estando convencido de que pocos hombres se imaginan hasta qué punto las mujeres sufren. Algunos, cuando les hablo de ello, esbozan una sonrisa divertida. ¿Cómo un buen par de muslos o de caderas bien plantadas podrían provocar semejante resentimiento? ¡Y los pechos, esas maravillas que tanto escasean! ¡Está usted dramatizando! Pero me doy cuenta, cuando, sentado en una mesa con un grupo de amigos, este tipo inevitable de conversación se repite al llegar a los postres, que la mayoría de las mujeres no discrepan de semejantes afirmaciones.

Me enteré, con el tiempo y con un acercamiento silencioso, que este tipo de alergia a la redondez, que sienten con mayor o menor virulencia toda clase de mujeres, cualquiera que sea su condición social, se guardaba a menudo como un secreto que no se compartía con los hombres. Aquí interviene una suerte de pudor, y la percepción de una incoherencia, débiles destellos de lucidez, pero que existen y que me impiden caer en la desesperación.

Si hay cierta vergüenza de confesar este rechazo es porque, en alguna parte, sigue existiendo un poco de censura y de sentido común que impide que esas mujeres sean totalmente hechizadas por la consigna cultural.

Es a través de ese hilo, en esa brecha apenas abierta, por donde hay que actuar, desenmascarar esa farsa y tratar de invertir una moda que no deja de ganar adeptos.

Para ello, hay que comenzar por orientar nuestros focos hacia otras concepciones de la mujer. Lo que existe entre nosotros en Occidente no ha sido siempre el caso en otras latitudes, en otras épocas. Incluso en nuestros días, puedo decir, sin correr el riesgo de que me desmientan, que Francia es el país más marcado por esta imposición, y que nos incumbe cierta responsabilidad en la elaboración y la exportación de esta peste.

Los cánones actuales de la forma femenina

La gran maldición de una cultura es creer que está en posesión de la verdad. Y lo que es verdadero para la gran cultura, para las ideologías y las religiones, es verdadero también para la pequeña cultura. La mayoría de las mujeres occidentales se imaginan, pues, haber alcanzado hoy el fin de la trayectoria que lleva hasta el arquetipo femenino definitivo.

Un simple abrir y cerrar de ojos sobre el pasado y sobre otros lugares es suficiente para hacer sonreír a un observador no comprometido. No me contentaré con un abrir y cerrar de ojos, e iré a buscar allí donde sigue habiendo testimonios para demostrar que nuestras concepciones actuales no representan más que una página del libro de la historia de la humanidad y de sus modas.

Pero, antes de eso, vamos a tratar de establecer el estado actual de la concepción del cuerpo de la mujer. ¿Cuál es el arquetipo femenino actual en Occidente y de modo muy especial en Francia?

Para ello dispongo de dos informaciones: la mía, la de mi experiencia como nutricionista, que representa el equivalente en el tiempo de un minisondeo un poco más ampliado por el interés que tengo en ello y que sobrepasa con mucho el marco de mi profesión.

Y, sobre todo, los datos aportados por la inmensa caja de resonancia de los medios de comunicación, las revistas, publicaciones ilustradas de todas clases, el cine, la televisión, la publicidad y el arte pictórico figurativo.

La moda indumentaria es también un reflejo de lo que se viste y por consiguiente del tipo de cuerpo que debe usarlo. Y compruebo que lo que se ha inyectado en la concepción actual de los cánones femeninos representa ante todo:

— La imagen de una mujer espigada y *grande*. En nuestros días es bien visto alcanzar el metro setenta; algo que hace apenas cincuenta años se consideraba gigantesco, puesto que la estatura media de los hombres franceses ni siquiera llegaba a esa estatura.

No existe sin embargo ninguna modelo, digna de ese nombre, que se atreva a confesar que su estatura es inferior a ese límite. He consultado personalmente los catálogos de tres conocidas agencias de contratación de este tipo de profesionales de la moda y me ha costado mucho encontrar seis modelos cuya estatura fuera inferior a un metro sesenta y ocho.

— La *cintura* es fina. Pero infinitamente menos de lo que pudo serlo en la época de los corsés, en la que se recomendaba encarcelarse y atarse con el fin de confeccionarse aquella famosa cintura de avispa que, dicho sea de paso, no tenía más función que exaltar el dibujo de las caderas. Así pues, una cintura libre, sin limitación.

—Los *pechos* son el primer elemento afectado por el tabú de las curvas. No hace falta demasiado. Pero ante la dificultad de encontrar un número suficiente de mujeres adaptadas a este nuevo imperativo, apenas concebible desde el punto de vista biológico, se aconseja esconderlos, comprimirlos, o si no, más fácil todavía, dar amplitud u holgura, para todas esas «desafortunadas» que tienen pecho.

Pero este intento de intoxicación tan flagrante choca con un potente contraveneno biológico. Las mujeres admitirían de muy buena gana renegar de sus pechos en lo que tienen de ornamental, pero a veces piensan que esos mismos pechos tienen también un papel que desempeñar en la lactancia. Y, por eso mismo, esto atempera un poco el eventual descrédito que algunos creadores misóginos intentan trasplantar a unos órganos a los que muchos de nosotros debemos todavía la vida.

Hay, pues, cierta flexibilidad en la rigidez del canon, y el homenaje masculino es tan vehemente, tan directo y tan inmediato que algunas mujeres siguen conservando la cabeza lo bastante fría para lucir unos pechos contestatarios. Pero estamos lejos del orgullo con el que las actrices italianas de la posguerra lucían sus encantos.

Lo que me reafirma en esta opinión es el cambio radical del interés que se dispensa al *brassiere*. En quince años hemos pasado del corsé, que se alabeaba como en el mármol, a los soportes elásticos y flexibles, y después a simples protecciones decorativas. Y hoy es de buen gusto no llevar nada en absoluto.

La lencería femenina se muere de inanición, y se encuentra nuevos mercados en las baratijas erotizantes.

El descrédito recae, sin duda, sobre los pechos opulentos, y me cuesta confesar todo lo que sé sobre el desamparo de las mujeres de pechos grandes. Prefiero ceder la palabra a los profesionales de la cirugía estética.

— *Las caderas:* hemos llegado al meollo del asunto. La cadera es lo que sigue inmediatamente al desvío de la cintura. Bien dibujada, esboza la forma de una guitarra. Es un territorio mixto de feminidad y maternidad. Es, en efecto, en las caderas donde se reconoce a las buenas «ponedoras». Y cuanto más ancha sea la pelvis, mejor pasan por ella los bebés. Pero en nuestros días las caderas han dejado de estar de moda, y a las mujeres que están provistas de ellas les cuesta mucho vestirse. El ideal femenino prescribe unas caderitas estrechas en la misma línea de los muslos y del pecho con el fin de tener cabida en los tejanos unisex. Los huesos ilíacos deben ser prominentes, a riesgo de golpearse con los de su pareja.

—*Los muslos:* es sobre todo para ellos para los que la consigna se vuelve draconiana.

Aquí no se trata ya de tener poco, solo está permitido no tenerlos en absoluto. La agresividad de la consigna se desata hasta la aberración. Y para calificar este modelo carnoso, esencialmente femenino, se permiten utilizar sin conocimiento de causa calificativos médicos.

La celulitis, o lipodistrofia, en forma de chaparreras, existe, es acúmulo adiposo enorme y tóxico de las caderas, los muslos, las rodillas y los tobillos. Es una caricatura burda y extendida de la feminidad debida a un desajuste hormonal. Hablaré de ello con más detenimiento en el párrafo dedicado a las perturbaciones patológicas. Conozco bien el problema ya que he escrito profusamente sobre el tema.

Pero ¿quién se permite esgrimir semejante fantasma para designar unas formas naturales? ¿Quién confunde con tal desparpajo lo normal y lo patológico? Hace falta una buena dosis de perversidad para hacer creer a la mayoría de las mujeres que son poco menos que anormales.

Los hombres no leen más que en contadas ocasiones las revistas femeninas, y, si llegan a hojear por despiste ciertas páginas dedicadas a belleza-salud, tienen la impresión de haber caído en literatura para marcianos. Y sin embargo, se sorprenderían al enterarse de que su mujer se cree aquejada de una enfermedad del tejido conjuntivo, que hay que tratar con urgencia, por todos los medios médicos y quirúrgicos más modernos. Y se quedarían aún más helados si se les mostrara el órgano enfermo.

Pero, volviendo a nuestro propósito y simplificando, digamos que los cánones femeninos actuales franceses consideran como anormal todo lo que puede existir entre la piel y los músculos de los muslos. Lo que equivale a preocupar al noventa por ciento de las mujeres.

— *Los olores personales:* antes de terminar este recuento, no puedo menos que añadir unas palabras sobre los olores. He hablado ya de ellos en el capítulo dedicado a la feminidad natural, y he dicho hasta qué punto eran estrictamente individuales. No existen dos olores humanos idénticos, y es tal vez nuestra característica más personal. Desmond Morris señala que «una parte del proceso de formación de la pareja, el hecho de enamorarse, implica una suerte de huella olfativa, una fijación en el olor individual y específico del cuerpo de la pareja». Numerosos eruditos trabajan actualmente para confirmar la eficacia y la especificidad de nuestra comunicación química y la comparan con nuestras reacciones de inmunidad.

Si, como yo pienso, hay una parte de verdad en estas afirmaciones, sería la prueba más increíble de nuestra obstinación en rechazar o subestimar lo que hay de natural en nosotros. Por muy trivial que pueda parecer, si es cierto que el olor es uno de los ingredientes de nuestro apego a la persona que amamos, sería profundamente aberrante dejar que circulen durante mucho más tiempo estas prohibiciones que incitan a esterilizar los olores personales.

Pero quiero que se me entienda bien aquí. No hablo de descuido corporal, ni de falta de higiene. Una mujer que sale de su baño no tiene ya ningún olor a sudor ni proliferaciones microbianas, pero, si la naturaleza la ha favorecido, puede seguir teniendo un perfume natural. Los olores sexuales son tenaces y están previstos para este uso.

Lo que resulta perjudicial para ella es hacer desaparecer, con la ayuda de desodorantes químicos agresivos, las últimas huellas de la personalidad olfativa.

En la época en que a la mayoría de nosotros nos estimula el apetito un olor de queso camembert o munster, es incomprensible que no se puedan tolerar estos «perfumes de amor».

Por último, para terminar con una nota cómica, el lector tiene que saber que la mayoría de los perfumes de gran renombre, de los que los franceses somos los mejores consumidores y exportadores, contienen «formas diluidas de productos de glándulas sudoríparas procedentes de otras especies de mamíferos que no tienen ninguna relación con nosotros».

En materia de olores, el canon cultural actual será: eliminar todo lo que pueda oler, desecar y neutralizar químicamente lo que intente persistir, y después perfumarse con productos cuya base tiene su origen en secreciones sexuales de otras especies.

Las variaciones del cuerpo femenino según los individuos y las razas

He descrito rápidamente el ideal de feminidad actualmente en vigor en nuestras sociedades occidentales. Y una pregunta me viene de inmediato a la mente: ¿dónde se encuentra esa rara opinión? O, más bien, ¿qué es lo que se acerca más a ella? El grupo genético humano es tan complejo y tan diversificado que el cuerpo femenino puede presentar un gran número de variaciones individuales y étnicas. El conjunto de estas variaciones determina el campo de las posibilidades, en el seno de las cuales cada cultura escoge sus cánones de referencia.

Cuerpos androides y cuerpos ginoides

El cuerpo de las mujeres ginoides es el más típicamente femenino. Es el arquetipo caricaturesco de la Venus hotentote con busto estrecho, hombros pequeños y cadera ancha asociada a unos muslos voluminosos. El conjunto da una impresión de ensanchamiento característico. Cuando ese cuerpo se ensancha con la edad o la sobrealimentación, es siempre por debajo del ombligo, acentuando de ese modo la diferencia entre la parte superior y la parte inferior. Es en este tipo de cuerpo en el que puede desarrollarse una tendencia a la celulitis. Estas mujeres tienen en general una pubertad larga y difícil, y reglas durante mucho tiempo irregulares. Además, presentan sistemáticamente un arqueo lumbar exagerado y un hundimiento de la bóveda plantar. Tarde o temprano sufrirán problemas circulatorios y serán propensas a las varices. Su tensión arterial es baja, lo que las hace poco resistentes y propensas a todo tipo de enfermedades, vértigos y desmayos. En pocas palabras, son mujeres vulnerables, frágiles y ansiosas.

El cuerpo de las mujeres androides es lo contrario. Es macizo en su parte superior. Cuello ancho y hombros viriles. Pechos grandes y busto potente y generosamente abierto. Y después, bruscamente, a partir del ombligo, todo se vuelve discreto. Una cintura apenas marcada, unas caderas de muchacho y unos pequeños muslos formando parte de unas piernas aún más finas. Cuando estas mujeres ganan peso, este envuelve los hombros y la espalda, el pecho se torna felliniano, y los *brassieres* estallan en todas las costuras. La zona del estómago se acolcha y el conjunto da la impresión de un triángulo de vértice inferior.

Estas mujeres son habitualmente sanguíneas y coloradotas, con varicosidades en la nariz y las mejillas. En la menopausia tienden a desarrollar una hipertensión arterial «de familia». Son mujeres robustas, resistentes, rara vez delicadas, que gastan una gran energía. Son más bien nerviosas, pero rara vez ansiosas. Tienen una necesidad natural de actividad. Se dice a menudo que son masculinas, y eso les molesta mucho. Estadísticamente, son mucho menos numerosas que las ginoides.

Para que quede clara la descripción de estos dos tipos opuestos de cuerpo femenino, me he visto obligado a esquematizarlos para que sean expresivos. En la mayor parte de los casos se trata más bien de una mezcla de estas dos tendencias, y la verdad y la armonía se encuentran como de costumbre en su justo medio.

De esta oposición hay que recordar que las curvas son solo uno de los elementos distintivos de la feminidad, asociado a otras características anatómicas y fisiológicas e incluso psicológicas, pero siguen siendo su elemento básico más seguro y el más expresivo.

En lo que al gusto masculino se refiere, debemos admitir sin duda que la mayoría de los hombres se sienten más bien atraídos por el modelo ginoide; y que las curvas, para ser concebidas como tales, deben situarse imperativamente en un territorio femenino.

Las variaciones según las razas y las etnias

La noción de raza es una entidad que ha perdido buena parte de su valor científico, y las tres grandes categorías, blanca, negra o amarilla, no quieren decir ya gran cosa. Se habla de etnia, y es mucho mejor así.

¿Cómo varían las curvas cuando alguien se pasea, con los ojos abiertos de par en par, alrededor del planeta? No dispongo del espacio que necesitaría para tratar este tema, y poco importa entrar en el detalle. Lo que me interesa mostrar es que ciertas etnias han experimentado mutaciones en el curso de su evolución y que su aislamiento geográfico ha impedido la difusión de esas mutaciones. Las más características tienen que ver con dos pueblos africanos, que por tanto viven en el mismo continente aunque separados por unos miles de kilómetros. Estos dos pueblos resumen por sí solos todo el abanico de la diversidad del cuerpo femenino.

— Las hotentotes y sus vecinas las bosquimanas son el ejemplo idóneo de lo que la mujer occidental menos soporta. Muslos enormes, de un volumen y una consistencia desconocidos en otros lugares. Y cuando esas mujeres engordan, lo cual es raro, ya que viven al borde del desierto, llegan a la caricatura extrema de la ginoidia. Resulta especialmente interesante observar que se trata de una característica genética extendida y que todas las mujeres de estas poblaciones se presentan de este modo y desde hace cientos de miles de años a sus esposos. Estos se muestran siempre intensamente sorprendidos cuando se encuentran en presencia de mujeres extranjeras, de constitución diferente. Debemos admitir que si esta mutación ha logrado implantarse es porque probablemente a los hombres debía de parecerles apetecible.

Las mujeres masáis que viven en el África oriental representan el polo opuesto. Es prácticamente el único tipo de mujeres marcadamente delgadas, esbeltas y grandes. Este caso extremo hace realidad aquello con lo que sueñan de manera más o menos consciente nuestras mujeres occidentales. Pero, paradójicamente, pese a ser delgadas, las masáis no son huesudas, pues su esqueleto es de una exquisita finura, y si bien el volumen carnoso les falla, lo compensan con un alargado muy armonioso. Por último, como para compensar su falta de generosidad, la naturaleza les obsequió un rostro especialmente delicado que hace las delicias de los grandes reporteros especializados en África.

Sin ir a buscar tan lejos variaciones étnicas tan tajantes, podemos encontrarlas también en nuestra vieja Europa. La democratización de los medios de transporte nos permite comprobar que existen en Occidente dos grandes corrientes étnicas que modelan de manera distinta el cuerpo de las mujeres.

Una corriente agrupa de manera esquemática a las mujeres orientales y las mujeres mediterráneas. Una mujer árabe, libanesa, o incluso norafricana, presenta una clara tendencia a la ginoidia y a la redondez pronunciada. Una española, una italiana, una nizarda o una griega se distinguen por su contorno pélvico y sus muslos, y resulta que los hombres de estas etnias están más marcados por el sello de la virilidad. Más velludos, más pequeños por ser más precoces genitalmente, más propensos a la sexualidad y a la posesividad de las mujeres, desarrollan comportamientos y culturas que protegen la bipolaridad macho-hembra. La redondez es para ellos una bendición, y se resisten con mucha más ferocidad a la intrusión de los arquetipos de delgadez extrema.

Otra corriente agrupa la influencia anglosajona, escandinava y germánica. Por extensión, ha podido difundirse parcialmente a Estados Unidos. Nos encontramos aquí en presencia de mujeres más grandes, menos ginoides, de piel más firme. Su redondez es menos agresiva pero más equilibrada.

Los hombres presentan una virilidad menos afirmada, su pubertad es más tardía y, aunque sus tabúes sexuales sean más flexibles, manifiestan menos preocupación por la satisfacción de su libido.

Es curioso comprobar que la distribución geográfica de la redondez está asociada a manifestaciones sexuales más precoces y, paradójicamente, a culturas más ricas en coerción sexual. Además, estas dos grandes corrientes ocupan respectivamente el norte y el sur del Viejo Continente, y si nos dejamos llevar por hipótesis de verosimilitud, difícilmente se puede excluir el papel del clima en la aparición de estas diferencias genéticas.

Límites de la normalidad y actitud del hombre ante los casos anormales

El objeto de este libro es denunciar el daño que hace esa pasión insólita y artificial por la delgadez y la ausencia de formas. Es un alegato a favor de que vuelvan los tiempos de una nueva redondez.

Pero insisto para que ninguna confusión interfiera en la lectura. No es mi deseo que se imponga el reino de las gordas y de las obesas. Soy nutricionista y he escrito ya varios libros para denunciar este peligro. La obesidad mórbida es una enfermedad que acorta la vida, sobre todo cuando está asociada a otros factores de riesgo, y es legítimo encontrar peligroso aquello que nos puede recortar unos bonitos años de vida.

Pero voy a hacer una confesión que sorprenderá mucho. Considero que este gusto por la delgadez y todo lo que está relacionado con ella culturalmente es aún más peligroso. No tanto desde el punto de vista fisiológico, pues rara vez se muere de hambre por correr detrás de los arquetipos de delgadez extrema, sino psicológica y sociológicamente, pues este síntoma es el de una cultura y una sociedad perturbadas que presentan fallas lo bastante graves como para modificar el cuerpo de sus mujeres en lo que tiene de más natural. Una civilización que, conscientemente o no, acepta semejante mutilación es una civilización que amenaza el aglutinante de un vínculo que la evolución ha tardado millones de años en crear.

Sin embargo, este vínculo es la pareja, es la familia, son los hombres y las mujeres del mañana con un porvenir incierto. Digo que hay peligro no únicamente para esta redondez que puede parecer insignificante, al igual que esos olores mensajeros que le habrán hecho sonreír, sino porque afecta demasiado a lo que es natural y porque, acosado desde todos los flancos como el último reducto de los valientes que mueren pero no se rinden, corre el riesgo de abandonarnos abatido.

Y dicho esto, aunque se considere la redondez como natural, ¿cuáles son sus límites y a partir de qué momento se vuelve claramente anormal?

Responderé como biólogo: es decir, en tres tipos de circunstancias muy concretas que amenazan al individuo o a la especie.

La primera, cuando supone una molestia funcional en los actos de la vida cotidiana.

La segunda, cuando amenaza con acortar la vida mediante signos de obesidad que pueden estar asociados.

La tercera, cuando desencadena en la mayoría de los hombres una repulsión sexual.

Las dos primeras circunstancias son tan evidentes y tan fáciles de determinar que no provocan ninguna objeción. De la tercera puedo hablar a voluntad, pues se inscribe en el marco mi profesión. Recibo regularmente en mi consultorio a mujeres obesas, a veces extremadamente obesas, a las que les cuesta mucho entrar en mi elevador, y recibo también a mujeres lo bastante delgadas para que las lleven a consulta, y lo que siempre me llama la atención es comprobar que mis pacientes obesas no tienen prácticamente nunca problemas sexuales. Por muy enormes que sean, sus maridos se quejan, se enfadan, incluso espacian a veces las relaciones sexuales, pero no las interrumpen. He podido ver a mujeres de ciento cincuenta kilos con dificultades para vestirse y moverse, pero que logran la proeza de conseguir un orgasmo diario.

La extrema delgadez no es tan ventajosa en la cama y, por paradójico que pueda parecer, son mujeres que mendigan en vano su acceso al placer.

Sé que costará creerme; yo he sido el primer sorprendido, pero es una constatación cotidiana que acepto como tal. Conozco casos de mujeres que se niegan a sí mismas toda sexualidad porque se avergüenzan de su cuerpo y porque sienten la mirada del prójimo como un hierro candente en sus llantitas. En muchos casos esas mujeres que me consultan van acompañadas de sus esposos, y si estos insisten en verlas adelgazar, es a menudo con el fin claramente confesado de recuperar el cuerpo de su compañera.

Conozco casos, raros desde luego, de comunidades africanas y orientales en las que los hombres ricos y poderosos ceban literalmente a sus mujeres para convertirlas en auténticas obesas experimentales. Tranquilos, estos grupos no son caníbales, pero sienten una extraña pasión por lo voluminoso y la grasa femenina.

Hay en una bellísima película de Fellini, *Amarcord*, una escena dionisíaca y probablemente autobiográfica en la que un joven adolescente henchido de libido es subyugado y fascinado por una estanquera de un volumen monstruoso. Levantando a aquel hombrecito, lo envuelve con sus dos pechos en una atmósfera de fin del mundo y de retorno al vientre materno.

En otra película igualmente célebre de Ingmar Bergman, *Gritos y susurros*, una joven mujer, que se sabe condenada y que espera con ansiedad la muerte, tiene este mismo reflejo de retorno a las fuentes de la vida pegándose histéricamente contra el cuerpo opulento y nacarado de su sirvienta.

Estos dos ejemplos confirman que en el inconsciente colectivo universal de los hombres, la monstruosidad extravagante de las formas femeninas es un arquetipo de vida y de abundancia. Esto podrá parecer extraño, pero el inconsciente tiene elecciones binarias, y la carne tensa palpita de vida mientras que la delgadez anuncia lo falso.

También veo casos de delgadez. Muchos menos desde que la moda les concede un visto bueno permanente. Pero las delgadas de verdad sienten muy vagamente que las engañan, y lo que es el sueño inconfesado de mujeres con buena salud en ellas resulta una pesadilla biológica. Al margen de las perturbaciones de las que hablaré en el capítulo dedicado a los excesos vinculados al adelgazamiento voluntario, la delgadez amenaza siempre a la sexualidad. Vestidas con prendas vaporosas y holgadas pueden dar la apariencia, pero pierden sistemáticamente a todos sus amantes en cuanto cae ese último camuflaje. No quedan ya para satisfacerlas más que los pervertidos atormentados por el gusto de lo mórbido, y a este respecto me acuerdo de la extraña sensación que me produjeron las confesiones de una de mis antiguas pacientes.

A primera vista, resultaba muy delgada. Desvestida era huesuda y parecía desnutrida. Pensé que requería mis servicios para que intentara ayudarla a recuperar un poco de peso, y me quedé sorprendido cuando me comunicó que quería seguir adelgazando.

Era sin embargo una joven mujer inteligente, y conseguí dialogar con ella. Me dijo que lo había intentado todo para recuperar peso, pero en vano. Su delgadez era constitucional, y todos los intentos habían acabado en fracaso. Cayó en la cuenta entonces de que existía una categoría de hombres raros, perturbados sexualmente, a quienes podría agradar si alcanzaba el umbral de lo imposible. Me contó sus experiencias, y todavía hoy, sigo sintiendo aquel extraño malestar cuando pienso en su miserable sexualidad. Siempre el mismo tipo de hombre que disfrutaba acariciando una columna vertebral y unas costillas a las que solo les faltaba ya el frío eterno.

Me confesó, y casi me cuesta escribirlo, que a veces se resistía más de tres días a la tentación de comer para poder estar presentable el día del reencuentro.

Todos mis argumentos chocaban con esta única respuesta: «Ningún hombre normal quiere nada conmigo, solo me quedan algunos pervertidos y no puedo engordar, así que ayúdeme a seguir adelgazando».

Remití a esta mujer a un neuropsiquiatra psicoanalista, que la convirtió en objeto de una muy interesante publicación pero que nunca consiguió que cambiara de opinión.

Este caso, por suerte rarísimo, confirma que la delgadez flagrante ahuyenta lo sexual. No sé si acabaré convenciendo al lector de que los hombres las prefieren con curvas, pero puedo afirmar que los hombres no soportan a las delgadas.

La redondez a través de los tiempos

He hablado de los cánones actuales y de lo que se ha convenido en apreciar en la mujer de nuestros días. El lector se habrá dado cuenta de que estoy en total desacuerdo con estos imperativos. Pero no conoce más que una parte de mis argumentos.

Ahora quiero insistir en un elemento que considero fundamental. Por muy lejos que podamos dirigir la mirada hacia atrás, no ha habido nunca una moda de la delgadez que se parezca, ni de cerca ni de lejos, a la que sufrimos actualmente. No somos la regla, somos la excepción, y en esta singularidad hay algo que debe poner en guardia a la mente. El hombre existe desde hace uno y dos millones de años, y en todas partes siempre se ha asociado la belleza femenina con la redondez y con el desarrollo. Sin embargo, desde hace dos generaciones y con la arrogancia del recién llegado, lanzamos una mirada despectiva hacia aquello que ha hecho las delicias de nuestros predecesores.

Estoy seguro de que entre los lectores habrá un experto para pueda objetarme que, según los testimonios culturales que obran en nuestro poder, se puede señalar sin embargo que las estatuas de los bajorrelieves egipcios nos muestran a mujeres más bien delicadas y delgadas. Y que algunas madonas de la Edad Media no son unas Venus calipigias. Lo reconozco, pero sin duda piensas que si me anticipo a la objeción es para responder mejor a ella. El arte egipcio y el arte medieval son los prototipos de un arte esencialmente religioso, totalmente financiado por los paladines de lo sagrado de la época. Pintar o esculpir a una diosa o a una madona portadora de los signos de reclamo de la sexualidad activa habría sido inconveniente, y habría podido llevar a la tumba o a la hoguera.

Pero no adelantemos nuestro propósito. Ya sé, porque es mi tema, que resulta difícil llegar a imaginar siquiera que somos la primera generación del género humano que ha construido un modelo idealizado de la delgadez. Cuando afirmo que los hombres las prefieren con curvas, me doy perfecta cuenta de que escandalizo un poco incluso a aquellas que más deberían animarme. La ceguera cultural es tal que se me puede atribuir fácilmente una propensión a la paradoja. Pero, en caso de haber paradoja, reside más bien en la enorme desproporción que existe entre las ochenta mil generaciones que han adulado la redondez y la miserable pequeña generación aislada e insolente que somos, y que proclama un gusto decadente y peligroso por la delgadez.

Si el lector lo duda, es que no está suficientemente informado.

Los primeros hombres de la prehistoria

Aquellos hombres y aquellas mujeres no sabían escribir, pero sabían dibujar y pintar. Altamira y Lascaux son auténticas maravillas del arte universal. Y muchos especialistas nos afirman que su estilización no es obstáculo para reconocer las especies animales que tan bien dibujaron. Los hombres, en cambio, están muy poco representados en esos frescos. Algunos cazadores en movimiento armados según las técnicas de la época, pero pocos datos sobre su cuerpo. Las mujeres, en cambio, se nos presentan con una frecuencia mucho mayor, y ahí el mensaje es claro y patente. No es la redondez lo que prima, sino el volumen. Esos cuerpos de mujeres son tan imponentes, tan gruesos, tan pesados que no podemos dejar de ver en ellos un símbolo de la fecundidad. La opulencia raya en la monstruosidad, y el contorno pélvico y los muslos dan al cuerpo el aspecto de un rombo. Existen algunas estatuillas de hueso o de cuerno de tamaño muy pequeño y que se pueden sostener en la mano. Basta con haberlas tenido una sola vez en la palma de la mano para comprender cuáles debían de ser las fantasías de aquellos primeros hombres. Pero me responderán que aquellas gentes eran tan primitivas que hemos hecho bien en cambiar de costumbres y de gustos.

No estoy tan seguro de ello. Aquellos primeros hombres se encontraban en el estado de naturaleza. Su cultura era rudimentaria o casi inexistente. Así pues, su mensaje es sin duda el más puro y el que más se acerca a nuestra programación biológica básica. Si un hombre de esa época afirmaba a través de sus testimonios artísticos que veneraba la redondez hasta el punto de caricaturizarla, no era desde luego para satisfacer las necesidades de una moda pasajera, sino para desvelar, en bruto y tal vez mal desbastada, la voz de su naturaleza profunda. Para convencerse de ello, basta pensar en las horas que tenían que dedicar a la caza para poder alimentar hasta la obesidad a las mujeres de su gusto.

Los pueblos primitivos actuales

Los etnólogos han hecho el inventario de prácticamente todas las poblaciones primitivas que siguen existiendo actualmente. La diversidad de estos grupos humanos, distribuidos por varios continentes, revela grandes diferencias genéticas y culturales. Su absoluto aislamiento durante miles de años ha permitido mutaciones complejas que impiden toda comparación en lo que se refiere a la morfología del cuerpo femenino. Sin embargo, y que yo sepa, no hay ningún pueblo primitivo que imponga culturalmente la delgadez a sus mujeres. En general, se atienen a lo que la naturaleza modela con mayor o menor generosidad según las latitudes y los recursos en materia de alimentación.

Está claro que la mayoría de estas poblaciones están al borde de la extinción, y viven una vida de caza o de nomadismo que difícilmente puede permitir que las mujeres sean muy voluminosas. Hay que señalar, sin embargo, y se trata de un dato que podría interesarnos, que las esposas de los jefes o de los notables son a menudo más redondas que las demás. Pero como están mejor alimentadas este argumento es insuficiente.

En cambio, se encuentran con cierta regularidad, en su arte y en sus manifestaciones gráficas, símbolos de fertilidad estilizada que recuerdan a los de los primeros hombres.

De este rápido vistazo al territorio etnológico se deduce, por tanto, que las tribus primitivas respetan el modelo natural pero que ciertas fantasías de plenitud de opulencia femeninas, proyectadas en sus manifestaciones artísticas, revelan más sus aspiraciones que su realidad. Así pues, la redondez conserva entre ellos ese carácter de idealidad y de signo exterior de riqueza.

Oriente, cuna de las civilizaciones

No es mi intención rastrear sistemáticamente todas las culturas que fueron el inicio de las civilizaciones. No es ese el propósito. El descubrimiento de la agricultura se debe probablemente a las mujeres que se quedaban en el hogar y observaban involuntariamente el desarrollo de los granos. La ganadería fue cosa de cazadores que debieron olvidarse de degollar a jóvenes animales salvajes todavía de leche y que se encontraron con la sorpresa de poder domesticarlos progresivamente. Estas dos innovaciones permitieron al hombre establecerse y dejar de depender de la caza.

Y fue entonces cuando surgieron los primeros testimonios artísticos. Asur, Elam, Babilonia, Nínive, Tebas, Carnac, todas estas formidables eclosiones culturales se distribuyen por un territorio apenas más extenso que Francia, y ven confluir, luchar y a veces mezclarse, a dos grandes corrientes étnicas: la indoeuropea y la semítica.

Las guerras permanentes parecen haber retomado la violencia y la energía que el hombre desplegaba en la caza. Pero, al abrigo del peligro, lejos de los campos que había que cultivar y de los animales que había que guardar, el artista y el sacerdote hicieron su aparición. El artista de estas épocas no era libre, su papel era glorificar a través de sus obras a los jefes y a los reyes y servir al clero, que necesitaba imponer imágenes de sus dioses.

¿Qué fue de las mujeres y su cuerpo entre estas relaciones de batalla y estas estilizaciones divinas? Es evidente que ocupan un lugar secundario. El hombre ha tomado el poder en todas partes y reina incluso sobre la representación figurada. Sin embargo, al margen de las grandes obras monumentales y gloriosas, encontramos escenas de la vida cotidiana, y aparece con claridad, y de modo muy especial en las civilizaciones de origen semítico, que el ideal sigue estando en la redondez.

Todas estas guerras crueles y salvajes hacen caer regularmente las cabezas coronadas, y cada vez con el mismo guion.

Bandas de bárbaros de sangre nueva y viva vienen a destruir civilizaciones que se ahogaban en la comodidad y la riqueza.

Y después todo volvió al orden con la llegada de dos ogros que se repartieron el territorio engullendo a todos los demás pueblos beligerantes: los persas y los egipcios. Era el fin de la grandeza temporal de las civilizaciones semíticas.

Los persas son la vanguardia indoeuropea. Sus mujeres son menos ginoides, pero sus esclavas semitas debieron de acabar inculcándoles el gusto por la redondez ya que sus representaciones muestran a mujeres de porte respetable.

Los egipcios podían plantearnos un problema, pues su arte se caracteriza por una rigidez hierática y severa. Y la mayoría de las mujeres representadas son diosas que casi nunca son redondas. Pero esta ausencia es significativa, pues si se priva a la diosa de la Muerte de su redondez es para que aterrorice.

Todas estas representaciones femeninas deificadas están destinadas a impresionar a las masas; pueden inspirar miedo, respeto, idolatría, confianza, pero en ningún caso deben despertar la sexualidad. Los sacerdotes son inflexibles en lo que a este asunto se refiere. Hay que desencarnar en sentido propio, es decir, quitar la carne de estas estatuas. Es, pues, difícil saber cuál era el gusto exacto de los egipcios.

Las mujeres músicas de Zoser Kareseneb ilustran unos frescos que no están destinados ni a los reyes ni a las reinas ni a los sacerdotes. Adornan la tumba de un artista que debió de confeccionarlas en vida para convencerse de los encantos del más allá. Aquí, toda rigidez convencional ha desaparecido y se ve una bailarina y dos músicas cuya belleza y gracia convierten estos pocos centímetros de yeso pintado en una de las maravillas del arte universal. No sé si estas tres jóvenes mujeres aisladas son una muestra representativa de entre tres mil y cuatro mil años de culturas y de modas, pero debemos convenir que estos cuerpos parecen palpitar de vida. Personalmente las encuentro con curvas, probablemente con la redondez más equilibrada que conozco y a la cual no está asociado ningún volumen inútil o pesado. Unos cuerpos alargados, ágiles, finos y gráciles, pero con pechos bien firmes, caderas y muslos redondeados y sin embargo ligeros. Pero estas formas son tan bellas y tan puras que cabe preguntarse si existieron realmente o si son una simple invención del artista, reflejo de una aspiración universal.

La Grecia antigua: los cánones definitivos de la belleza

El poblamiento de Grecia se hizo mediante invasiones sucesivas sobre un fondo original autóctono. También aquí los indoeuropeos habían tomado cartas en el asunto. Y, en este caso, el milagro se produjo sin avisar. Un milagro como es difícil imaginar. Antes que ellos, era el caos, la guerra, la anarquía, donde solo la fuerza y el miedo daban un poco de cohesión a todos estos imperios que caían sucesivamente.

Los griegos, por su parte, cuatro siglos antes de Jesucristo, sentaron las bases de la democracia, del teatro trágico, dieron a luz las más bellas obras arquitectónicas que el mundo contempla y, sobre todo, y tal vez con más brillo que en cualquier otro lugar, crearon una escultura cuya perfección nunca hemos igualado. Pero al mismo tiempo, y esto es lo que nos interesa, definieron, de una vez por todas, la noción de armonía del cuerpo humano. Cuando se observan las obras de Fidias o de Praxíteles se tiene la impresión de que, en un momento de confusión, tal vez la naturaleza les reveló la clave de la armonía universal.

Los frescos del Partenón, la *Venus de Milo* o la *Afrodita* de Cnido nos muestran los cánones de la belleza griega. Pero estos cánones tuvieron un extraño destino. La Grecia política podrá desaparecer, dominada por otros imperios, pero el arquetipo griego permanecerá, y todos los dominadores que la invadieron sucesivamente fueron a su vez colonizados desde el interior y no pudieron evitar ver el mundo con los ojos de los griegos. Todavía en nuestros días, los cánones de Fidias siguen siendo nuestro criterio básico. Todo artista que pasa por una escuela de arte se impregna de esta visión, y si, movido por el deseo de lo nuevo o de lo insólito, crea formas y relaciones distintas, necesita conservar en la memoria un sistema de referencias. La armonía griega es el referente de todos los creadores figurativos.

¿Y cómo veían los ciudadanos de Atenas el cuerpo de la mujer cuatro siglos antes de nuestra era? Es difícil describir este modelo, ya que es el equilibrio absoluto. Todo está ahí en la proporción que conviene y que no sorprende. Los pechos son contorneados, pero nunca pesados. La cintura está marcada, pero no de un modo acusado, las caderas están dibujadas, pero se contentan con compensar el espacio vacío de la cintura. Los muslos son redondeados, pero sin deformación ni volumen excesivo. El conjunto da una impresión de estructura global en la que las partes se juntan para formar un todo. Esta es la belleza griega, encarnación de la pureza femenina.

Es interesante, pues, preguntar a estos semidioses, manifiestos creadores, por lo que pensaban de la redondez. La amaban, pues está presente en todas partes, pero a su manera, es decir, sin exageración alguna y sin romper nunca las relaciones de equilibrio. La prueba irrefutable de la presencia de la curva y del contorno en su ecuación de la belleza es que lamentablemente ninguna mujer de nuestros días aceptaría parecerse a una Venus de la época.

Tengo encima de mi escritorio, desde hace mucho tiempo, una fotografía de una indígena calipigia y una foto de la *Venus de Milo*. Están lo bastante a la vista para que la mirada pueda detenerse en ellas sin indiscreción. Las reacciones femeninas ante estos dos tipos de morfología me interesan mucho. No he visto nunca a una sola mujer que no haya esbozado un movimiento de retroceso ante la mexicana ginoide. La *Venus de Milo* provoca reacciones muy diferentes y mucho más complejas. Desprende una impresión de armonía inmediata, cualquiera que sea el nivel cultural y social. La grandeza y el secreto de los griegos es haber encontrado la combinación que abría las puertas de la belleza en cada hombre y en cada mujer. Pero esta percepción estética abstracta no provoca ningún reflejo de envidia, y a la mayoría de las mujeres esta Venus les parece anticuada.

Los hombres, por su parte, reaccionan de manera distinta, y de este modo revelan su mejor resistencia a los imperativos culturales. Ante la mexicana, percibo a menudo un tipo de reacción un poco picante. Pero cuando les pido una opinión más personal les cuesta dármela. Ante este extremo ejemplo de ginoidia marmórea, noto la ambivalencia de una imaginación que disfruta enfocando la consistencia de semejante volumen y el efecto de la coerción cultural que decreta que este tipo de mujer es difícilmente presentable.

Ante la estatua griega, debo admitir que, aun reconociendo que es magnífica, pocos hombres confiesan que les inspire sexualmente.

He reflexionado mucho sobre estas diferencias en cuanto a concepciones entre los dos sexos. Expresan a la perfección el hecho de que el cuerpo femenino y su redondez no están hechos para excitar a las mujeres. El mensaje se dirige a los hombres. Si las mujeres se ponen a abrir nuestro correo, que lo hagan sin intentar desacreditarlo. Si el espejo dejara de existir mañana, los hombres no serían muy diferentes. Pero las mujeres recuperarían una buena parte de su confianza y por eso mismo de su seducción.

La única reacción de la que no comprendo todos los resortes es esa suerte de indiferencia sexual de los hombres ante la *Venus de Milo*. La armonía que se desprende de ella es tal que se vuelve abstracta, y es muy posible que resulte difícil imaginar en términos sexuales lo que no es más que un modelo de equilibrio.

Así pues, los griegos también confirmaron mediante su escultura que las preferían con curvas y que la redondez era inseparable de la feminidad. Pero su arte era mucho más que un simple reflejo de los gustos de la época, y acabó por imponerse como referencia absoluta y clásica de lo bello. Viniendo de tales estetas, el valor de este testimonio supera de largo todo lo que podrían aportarme otras civilizaciones.

La concepción romana de la redondez

Los romanos se han distinguido en la historia universal como el prototipo del invasor y del legislador. Como legisladores nos han legado su noción del derecho, base del orden occidental. Como invasores, fueron capaces de digerir todo lo que habían conquistado con la espada. El único botín que se les quedó atravesado en la garganta fue el arte griego. Y este fue el único faro artístico que siguieron con pasión hasta su decadencia. Por ello, era previsible encontrar sus cánones culturales de la belleza femenina calcados de los de Atenas. La redondez siguió estando, pues, de moda e iluminó el cuerpo de las mujeres de Roma. Esto nos interesa mucho, ya que fueron ellos quienes nos transmitieron a los franceses una parte de nuestra latinidad injertándola sobre un fondo de impetuosidad gala. Roma era un gran cruce de caminos que se abría sobre la perspectiva occidental. Cinco siglos de dominación del mundo no cambiaron nada en la concepción de la redondez que siguió conservando su lugar en el corazón de los hombres.

La Edad Media

La Edad Media comienza con el fin de Roma y termina con el Renacimiento italiano. Es un periodo de oscuridad para las curvas femeninas. El paganismo deja su lugar al catolicismo triunfante y con él resurgen los tabúes sexuales. El arte, completamente financiado por un clero austero, no contraviene las prohibiciones.

Además, ninguna producción pictórica o gráfica se atreve a poner en escena el cuerpo de la mujer en su desnudez; o, cuando lo hace, es con infinitas precauciones para ahuyentar toda tentación erotizante. Y la redondez es manipulada como un explosivo peligroso.

Para saber lo que se apreciaba en aquellas épocas sombrías, vale más dirigirse a los laicos, o mejor aún a los señores de la guerra, libertinos y violentos, cazadores impenitentes y aficionados a las mujeres. Su respuesta es clara e inequívoca: fuera de la redondez no hay salvación, y las delgadas podrán ser sus mujeres pero nunca sus amantes.

La Edad Media expresa, pues, una doble concepción de la redondez: un lenguaje sagrado que ve en ella una tentación del diablo, demostrando con ello lo equivocado que está, y un lenguaje profano que, conservando su sentido común, ve en ella más bien la mano de Dios y la venera como tal.

El Renacimiento italiano

La Edad Media murió presa de su austeridad y su oscurantismo. Es el retorno a la Italia que canta, y la demostración se vuelve aquí fácil en extremo. De Botticelli a Miguel Ángel, la carne sublime vuelve a hacer su aparición, y la opulencia brinda a todos estos artistas una ocasión inesperada de manifestar sus dones. ¿Cómo sería posible imaginar, por otra parte, a semejantes genios ardientes y vigorosos escoger sus modelos entre los parias esqueléticos de la época? Este siglo representa la opulencia de las formas, los colores y la luz. La carne es débil, pero es plena y firme. Y aunque cubierta y pintada hasta la cintura, hay que imaginar a la Gioconda con curvas. También las madonas, por la gracia de Rafael, logran seguir siendo virginales, a pesar de las curvas que no ahorran ya los cuadros religiosos.

Curvas, genio y Renacimiento son la misma cosa.

Son ya dos millones de años de prehistoria y cuarenta y cinco siglos de historia los que han desfilado ante nosotros, y sigue sin haber un desmentido formal. Ninguna moda, ninguna cultura que nos haya precedido ha podido atreverse a concebir y realizar un ideal de delgadez y un intento tan evidente de desaparición de las formas.

¿Tengo que seguir aportando pruebas que las lectoras tal vez conocen pero que no siempre han tenido en mente cuando una talla treinta y ocho no les sirve ya y tienen que resignarse a aceptar una cuarenta?

Para no cansar, tomaré un atajo para atravesar los últimos siglos que nos separan todavía del gran cisma de la delgadez. Y para amenizar mi exposición me ceñiré a los más bellos ejemplos de artistas perdidamente enamorados de la opulencia y la redondez.

— Rembrandt era holandés, y sus más bellas modelos también, aunque pudiera camuflarlas con nombres bíblicos. No es nada extraño que su Betsabé respire abundancia. Los rostros tampoco se resisten a la tentación de la plenitud. El Louvre está a dos pasos, corran a verlo y sabrán que uno de los más grandes artistas del mundo no practicaba la esterilización del volumen.

— Rubens también era holandés, y un pintor cortesano internacional. Se dice que sus pedidos eran tan numerosos que no pintaba personalmente todos sus cuadros. Se contentaba con dar el último toque, que volvía la carne viva y luminosa. Pero no me atrevo a hablar de lo que pintaba. Defender en nuestros días semejante concepción de las formas femeninas es prácticamente indecente. Aquí no se trata ya de la forma, sino de la grasa invasora. Tal vez sea más incluso: la obesidad, pero la obesidad resplandeciente y que no se esconde, que lo invade todo, que devora hasta la luz y los colores. A solo tres siglos de nosotros tenemos a un hombre cuyas obras se disputan todos los museos.

Los reyes de la época, los grandes de todas las cortes pagaban precios desorbitados por vivir con semejante espectáculo, por tenerlo constantemente ante los ojos.

Resulta difícilmente creíble, pero es cierto. Rubens fue el más grande apologista europeo de la grasa triunfante, y con él todos los que ejercieron alguna influencia en su gran siglo. Por lo tanto, tú que me lees y que tienes curvas, no llores al pensar que eres anormal, lo único que sucede es que no naciste en el siglo adecuado, o incluso en el medio siglo o cuarto de siglo que corresponde a tu anatomía, pero no desesperes, sesenta siglos de historia te contemplan y no encuentran tu caso tan desesperado.

Rubens murió rico y añorado; dejó una producción que permitió que su nombre atravesara los siglos. Abandonaba con pesar una cultura europea insaciable de placeres y a unos hombres ávidos de abundancia femenina.

Los impresionistas

Los impresionistas representan el último gran cambio de rumbo antes del arte moderno. Su revolución se hizo sobre la luz y la tentación de pintar al aire libre. Como modelos, no hicieron más que escoger a las mujeres de su época. Y eso tampoco era una sorpresa. Pechos generosos y caderas que se acentúan si se contemplan con crinolinas. El conjunto, un torbellino de colores naturales, vivos y soleados.

El almuerzo en la hierba, de Manet, que hoy se exhibe en el museo parisino de la Orangerie, ocupa todo un lienzo de pared en el primer piso. Como vivo muy cerca, a menudo voy a dar una vuelta por allí. Y siempre me sorprende ver que ese cuadro, que en su época provocó un auténtico escándalo, sigue sorprendiendo a sus actuales espectadores. En su época la provocación provenía de la desnudez de esa comensal rodeada de hombres vestidos e inundada de una luz insólita.

Hoy es solo su redondez, su plenitud, lo que molesta o lo que hace sonreír. A veces me mezclo con los visitantes que se detienen un instante ante ese cuadro que atrapa. Las reacciones vienen normalmente de mujeres jóvenes, estudiantes en su mayoría, a quienes les resulta difícil comprender que esas mujeres pudieran ser seductoras:

—Vaya época. Los hombres no tenían suerte —me comentó un día una de esas estudiantes que participaba en una visita de grupo—. A lo mejor ese señor Manet apreciaba de manera muy especial este tipo de mujer.

—Yo no tengo esa impresión; estos pintores nos cuentan lo que ven. El único que tal vez fuera un fanático de la carne fresca es Renoir, el rey de lo nacarado y de la piel rojiza.

—Sí, lo vi en la planta de abajo. La pintura es magnífica; pero la modelo, su criada o su sobrina, es realmente monstruosa. ¿Por qué no pintaba mujeres normales?

La cosa quedó ahí, pues debatir nos habría llevado demasiado lejos. Mientras la veía alejarse y reincorporarse a su grupo, miré su cuerpo. Una muchacha como hay tantas en nuestros días, delgada, grande, bastante plana. Se unió a los otros chicos y chicas de su edad. Desde lejos me parecieron un poco cortados por el mismo patrón, vestidos con los mismos *jeans*, las mismas botas, las mismas camisas o las mismas playeras deportivas. El cabello cortado a la altura del hombre y apenas peinado. Y comprendí su reacción. Debía de tener unos ventitantos años, y desde hacía unos buenos diez años, desde el inicio de sus primeros coqueteos, había tenido que oír, de manera totalmente inconsciente, las grandes consignas culturales. Ver a sus mayores en pantalón, leer las revistas femeninas en las que las modelos míticas se pavonean bronceadas y huesudas por las playas del Pacífico para que se vendan mejor los bikinis. Las actrices de cine a las que se venera, los anuncios de agua mineral adelgazante y hasta las heroínas del cómic semejantes a las tablas de planchar.

¡Cómo se puede dudar de semejante mensaje cuando se percibe tan fuerte, tan omnipresente, tan concertado, y cuando se es tan joven, tan inocente, tan maleable!

Pudo ser aquel día, ante aquel *El almuerzo en la hierba* que había escandalizado por su desnudez, y todo lo demás, por la redondez de la modelo, cuando se me ocurrió la idea de escribir este libro. Quería expresar un muy pequeño deseo entre muchos otros, el de ser leído por aquella muchacha que sin duda se reconocerá al leer estas líneas.

Renoir murió en 1919. El siglo había conocido ya una guerra. Un anciano reumático, con los dedos deformados y doloridos, que se negaba a morir para pintar con empeño aquellas formas cuyo fin tal vez sentía cercano. Y al final nada. Ningún intento de adelgazamiento de los volúmenes. Más bien al contrario, sigue siendo célebre; y su muerte no cambia nada en el asunto. Sigue habiendo seguidores, amantes de las curvas.

Maillol

Y ya que estamos en la Orangerie, quedémonos ahí. O, más bien, salgamos por las Tullerías y recorramos los trescientos metros que nos separan de la explanada del Louvre. Desde la calle Rivoli, dejemos a la izquierda la estatua ecuestre de Juana de Arco y giremos a la derecha para volver a los muelles. Ahí, a uno y otro lado, sobre su pedestal y como si emergieran del césped, se encuentran seis o siete maravillas escultóricas que Francia ha escogido para ensalzar a uno de sus grandes artistas: Maillol.

Me gustaría saber quién tomó la decisión de semejante exposición permanente y que espero sea definitiva. Doy las gracias personalmente a ese responsable desconocido. Y si fue Malraux, estaré encantado de que este homenaje póstumo se dirija a alguien a quien siempre he apreciado.

Cada día, cientos de autobuses, taxis y vehículos privados pasan por delante del espectáculo tranquilizador de estas estatuas de bronce rebosantes de vida y de formas. Pero mi satisfacción se detiene ahí, pues pienso en todas aquellas que miran y cuyas reacciones conozco. He hablado muy a menudo de estas estatuas, y a mujeres cultivadas, refinadas o más sencillas, y la sensatez brillaba por su ausencia en todas partes. «Es bonito, pero es feo. Es bonito en sí, pero es feo para una misma.»

«Si yo estuviera así, no habría puesto los pies en una playa nunca.» He tenido la suerte de conocer a la modelo que inspiró a Maillol durante una visita a una exposición parisina tras haber entrado por curiosidad en una galería de arte donde se exponían lienzos de Doucet. Después de recorrer las salas, me topé de frente con la directora, que me preguntó si aquello me gustaba. Nos pusimos a hablar de arte y, en tono absolutamente inocente, me preguntó si me gustaban las estatuas de Maillol, las mismas de las que he hablado unas líneas más arriba. El lector adivinará cuál fue mi respuesta. Entonces, con una gran sonrisa radiante, me confió: «¿Pero sabe usted quién fue la modelo de esas estatuas?».

Y ante mi embarazo: «Pues soy yo, señor, Dina Verny; me costaba trabajo mantenerme en todas aquellas posturas incómodas».

Y como yo la miraba, extrañado: «Ya sé, debe de estar sorprendido, he cambiado mucho desde entonces. Pero, en fin, soy su heredera universal, puedo autentificar toda su obra. Me la sé de memoria. ¡Se tarda mucho en hacer de modelo para una estatua, ya sabe!».

Es siempre impresionante ver a la modelo viva de obras que imaginamos llegadas de otro mundo creativo. También es tranquilizador. No la he vuelto a ver, pero durante mucho tiempo la saludaba al pasar delante de ella en mi coche.

Detendré en Maillol mi inventario. Estamos en el umbral de la última guerra mundial. Pascin se suicida después de haber pintado durante toda su vida cuerpos que pronto pasarán de moda. De 1940 a 1945, hombres llegados de los cuatro puntos cardinales combatirán en nuestro continente. Pero, sean cuales sean sus uniformes, esos hombres llevarán con ellos la imagen de sus amadas. Es muy probable que a aquellos hombres les gustaran todavía las mujeres con curvas.

CONSECUENCIAS DEL CONFLICTO DELGADEZ-REDONDEZ

He dedicado la primera parte de este libro a analizar la redondez natural. Repito una vez más, para que no haya confusiones en tu mente, que estas formas no están ligadas al peso o al sobrepeso simple. La manera de alimentarse, los excesos en la mesa solo sirven para fabricar obesas, nunca redondas. La curva, el desarrollo, son una cuestión de hormonas y de feminidad, y si las curvas no existieran el cuerpo de la mujer sería de una perfecta neutralidad, y por eso mismo difícil de diferenciar.

Si el lector quiere una prueba adicional y decisiva, le hablaré de los travestis, a quienes en ocasiones tengo que examinar. Impulsados por sus deseos fantasmales de invertir un sexo que la naturaleza no les dio, algunos no dudan en administrarse dosis importantes de estrógenos, hormonas femeninas por excelencia. ¿Y sabes lo que sucede en estos casos? Sus cuerpos cambian. En unas semanas aparecen los pechos y, al mismo tiempo, sus caderas y sus muslos se rellenan. Y por muy sorprendente que pueda parecer, los signos característicos y biológicos de la redondez se añaden a su antigua silueta masculina. ¿Puede existir una prueba más convincente de la naturaleza puramente sexual de estas formas? ¿Quién podría explicarme de otro modo una metamorfosis tan radical?

Lo repito por última vez, estas características anatómicas no tienen más que una sola función, pero es enorme: marcar la diferencia y permitir a los dos polos, femenino y masculino, reconocerse y atraerse. El fin último de este encuentro es la reproducción de la especie.

En esta segunda parte he intentado demostrar que somos la primera y la única generación del género humano que ha querido alterar esta mecánica de precisión que la naturaleza ha rodado y experimentado en todo ser viviente.

La especie humana es muy adaptable, se dice que esto es lo que la caracteriza y lo que ha permitido su éxito prodigioso superando a todos sus vecinos. Y yo estoy de acuerdo. ¿Pero podrá tener éxito a la hora de conservar durante mucho tiempo el lazo afectivo y sexual si se recortan indefinidamente las diferencias? Personalmente respondo que no, y voy a decir por qué. Las consecuencias de este conflicto son serias y superan el marco de la redondez. Porque, si se examina más detenidamente, cuando intentan reducir las diferencias entre hombres y mujeres no se contentan con las formas, sino que, y esto es tal vez más grave si cabe, se intenta modificar el comportamiento y los roles respectivos. Cuando se empuja a la mujer a trabajar, a volverla más agresiva, más reivindicativa, es también la diferencia lo que se difumina. Cuando se la incita a desinteresarse de su hogar y a dedicar menos tiempo a sus hijos, la diferencia se reduce siempre. Y si el hombre, por su parte, pierde su seguridad, su gusto por la protección, su virilidad, es probable que terminemos pareciéndonos de tal manera que no estoy convencido de que vayamos a tener siempre las mismas ganas de juntarnos. El sentido común popular dice que solo los *contrarios se atraen*. Los biólogos lo confirman sin restricciones. ¿Qué pasará si perdemos todo lo que nos oponía y nos convertía en contrarios? Dejará de haber polo positivo y polo negativo, solo habrá polos neutros imprecisos que no tendrán ya razones para ir el uno hacia el otro.

Pero volvamos a la redondez. Está claro que hoy no está ya de moda. No es una opinión, es una constatación. Creo que en lo que respecta a este punto no se me llevará la contraria. Entonces, planteo una pregunta sencilla: ¿qué hacemos con todas esas mujeres que no están conformes con este imperativo cultural? ¿Se ha inventado, para el caso, una máquina para borrar las formas femeninas? Que yo sepa, no.

Entonces, ¿qué se sugiere a esas mujeres que se impacientan por no poder cumplir la regla? Se burlan de ellas proponiéndoles cremas milagrosas y, si se es más serio, ¡se les aconseja que acudan a un médico! Y yo soy uno de esos médicos que se ocupa de nutrición y que saben hacer su trabajo cuando se trata de obesas o de pacientes cuyas formas, por muy femeninas que sean, amenazan con convertirse en caricaturescas. Pero cuando se trata de mujeres perfectamente normales, equilibradas, diría incluso favorecidas, ¿qué se puede responder? Si uno se permite dudar de su enfermedad imaginaria, de su intoxicación esencialmente cultural, se corre el riesgo de ser considerado un mal médico o como mínimo por un vejestorio que no es de su siglo. Lo cual no es grave en sí mismo, pero no resuelve nada.

Y esas mujeres que van de acá para allá terminan aferrándose al razonamiento inevitable: adelgazar será el único medio de perder esas formas. Perder peso me hará perder volumen y, tarde o temprano, perderé mis muslos, mis caderas y mis pechos. Prefiero decirte que es más bien tarde que temprano. Mi difunto maestro, Marcel Zara, que ya era médico al terminar la Segunda Guerra Mundial, había tenido la triste suerte de inspeccionar campos de la muerte nazis, y me aseguró que había visto a mujeres rapadas, desnutridas y enflaquecidas hasta los límites de lo posible pero que habían conservado una ligera redondez, única señal que le había permitido reconocer todavía en ellas a mujeres. Puedo decirte también que incluso encontró esta característica en mujeres muertas de hambre. Así pues, adelgazar no es una solución al odio a las formas. Sería mucho más sencillo *modular* un poco el tabú.

No quiero ir más lejos, sin orden, empujado por la vehemencia y las ganas de convencer. Hay una prohibición de la redondez y hay mujeres redondas. Muchas mujeres redondas. Diré incluso que solo hay prácticamente eso, salvo algunas excepciones. Este dilema, esta oposición naturaleza-cultura, genera perturbaciones y consecuencias tanto en el hombre como en la mujer, y es lo que veremos en este capítulo.

Neurosis animal por pulsiones contrariadas

El instinto sexual del hombre está programado para recibir, conmoverse y reaccionar ante las curvas de la mujer. Pero hoy día todo se confabula para desacreditar, incluso para invertir, el valor sexual de este mensaje. ¿Cómo reaccionará el hombre? Algunos biólogos han intentado experiencias de ese tipo con animales y han obtenido trastornos neuróticos muy graves. Pero sigue leyendo y compruébalo tú mismo.

Skinner, eminente psicólogo estadounidense, se ganó el apelativo de enemigo público de las ratas y las palomas. Inventó, para ellas, una caja que lleva su nombre y que es una suerte de jaula en la que se puede introducir un número impresionante de artilugios, lo cual permite condicionar por medio de recompensas o castigos. La recompensa es comida, el castigo es a menudo una descarga eléctrica. Mediante este pequeño juego pudo adiestrar a las ratas para toda clase de tareas que la naturaleza no había previsto.

Informes perfectamente científicos afirman que se ha podido conseguir que dos palomas jueguen al ping-pong. ¡Piénse en lo que se puede obligar a hacer a los hombres con vistas a los Juegos Olímpicos! Esta misma escuela de psicología ha intentado verificar lo que sucedía cuando el investigador se oponía a un instinto animal por el método punitivo eléctrico. Dos grandes instintos han podido ser estudiados de este modo: el instinto sexual y el instinto alimenticio.

La rata es un roedor como el conejo, y como tal tiene bien merecida su leyenda: es un animal que se entrega con facilidad y frecuencia a su sexualidad.

Imagínese una rata macho en una parte de una jaula y una hembra en el otro lado. En medio, una rejilla que se puede electrificar a voluntad. Una rata macho privada durante bastante tiempo de su hembra corre hacia ella y se encuentra con la rejilla. Ahí está de pie, con las patas pegadas a esa pared indeseable. En ese momento se envía una corriente de baja intensidad. Nuestra rata, que huele a su hembra, no se preocupa de la corriente, ni siquiera la percibe. Y luego, se aumenta progresivamente la intensidad. Existe un umbral en el que el pobre animal cederá y volverá a su triste rincón de la jaula.

Si la hembra está en celo y si el aislamiento se prolonga, el macho reanudará sus intentos y resistirá intensidades eléctricas muy dolorosas, pero acabará soltándose. Nadie tiene una paciencia infinita. Si este pequeño juego se prolonga durante mucho tiempo, se producirá un conflicto interno muy intenso entre su instinto sexual y la descarga punitiva. Este conflicto le hará sumirse en una neurosis que se asemeja extrañamente a lo que puede pasarle a un ser humano. Se quedará en un rincón de su jaula, no le interesará ya nada, no volverá a comer y se dejará morir poco a poco.

Se llega a las mismas consecuencias si se acostumbra al animal a recibir su alimento empujando una palanca. Cuando está bien condicionado, se invierte satánicamente la función de la palanca, y cada intento de alimentarse se salda con una descarga eléctrica. Rápidamente, el conflicto aparece y llega la neurosis. La regla es general y lamentablemente ha podido ser verificada con un gran número de otras especies. Todo intento de contrariar un instinto se salda con un rechazo a vivir indicado al principio por signos neuróticos.

¿Se puede extraer de estos experimentos crueles una conclusión que pueda aclarar nuestro propósito? Creo que sí.

Cuando se desprecia la redondez, en realidad no se impide que la sexualidad se manifieste o se satisfaga, y por ello no estamos de lleno en las condiciones del experimento. Pero damos un paso hacia la extinción de una de las señales que gobiernan la sexualidad. Es un atentado leve pero un atentado de todos modos. Hace falta poca cosa para modificar un comportamiento instintivo. Algunas descargas eléctricas, y una rata macho hipersexuada no quiere ya copular ni comer.

Si se pinta en el pecho de un lagarto hembra una gran mancha azul que le dé la apariencia de un macho y se pone a esta hembra disfrazada ante un verdadero lagarto, la sola visión de ese intruso lo enfurece, y lo vemos abalanzarse sobre ese impertinente para morderlo. Pero, súbitamente, en el último momento, nota en el potente olor de la hembra travesti que algo no funciona, no puede ya morder. Lo vemos indeciso, inquieto, oliendo y mirando de reojo esa gran mancha azul. Nace un conflicto en su pequeño cráneo arcaico, y este conflicto perturbará de por vida su sexualidad y su agresividad. No volverá a ser el mismo macho agresivo. Quedará contrariado para siempre, un poco a la manera de esos perros a los que han pegado sin razón cuando eran jóvenes y que, cuando se les llama, avanzan indecisos, divididos entre las ganas de acudir y el viejo temor persistente a ser golpeados.

Hemos llegado mucho más cerca de nuestro tema. Ese lagarto que no sabe ya muy bien dónde poner la cabeza y cuya sexualidad tampoco encuentra ya sus señales de llamada sería un poco como el hombre actual si mediante un truco de magia se hubiera logrado conceder a todas esas mujeres lo que piden. Por suerte para nosotros, la naturaleza, cuando imprime un rasgo de reconocimiento sexual, lo elige de tal manera que sea difícil de extirpar. Un poco como si hubiera previsto que un día sentiríamos la tentación de prescindir de él. Así pues, las penas de las mujeres no han acabado ni mucho menos. Y mientras llega ese día, sufren las consecuencias de ese conflicto entre lo que tienen y lo que quisieran dejar de tener. Consecuencias físicas y fisiológicas que vamos a tratar ahora.

Perturbaciones psíquicas causadas por la redondez

Las dificultades indumentarias

Nos vestimos por tres grandes razones: razones de comodidad, razones de pudor y razones ornamentales.

— Por comodidad entiendo que nos cubrimos para adaptarnos a las temperaturas exteriores. En invierno nos vestimos con ropa de abrigo y en verano nos ponemos prendas ligeras.

— Las razones de pudor son un poco más complejas. En nuestro cuerpo existen una serie de formas o de órganos que todos conocemos. Son tan evidentes que no les prestamos ya atención, pero tienen un sentido y son portadores de mensajes. Cuando proceden de un cuerpo femenino, hablan más o menos este lenguaje: «Soy mujer». O bien, «Soy adolescente desde hace tiempo, luego puedo copular». Y si estas señales provienen de órganos muy armoniosos y muy expresivos, desencadenan generalmente una tentación de acercarse hasta tener contacto.

Las curvas son los elementos más directos pero no siempre los más conocidos de este tipo de comunicación instintiva. Pero vivimos en sociedad, y lo que está bien enseñar a nuestra pareja no siempre es conveniente exhibirlo ante otros hombres. No hablamos con la gente a la que no conocemos, y menos aún este género de lenguaje tan directo. Resulta, pues, imperativo ocultarlos poniendo una pantalla entre el cuerpo y la vista de todos esos desconocidos que recorren como termitas las calles de la ciudad.

Imagínese por un instante lo que representarían veinte minutos en el metro en hora pico si no estuviéramos vestidos. Me cuesta pensarlo.

Pero el lector podrá hacerme notar que ciertas prendas femeninas no hacen más que cubrir la piel y continúan siguiendo con gran fidelidad el contorno de las formas. En este caso concreto concederé que esas prendas solo cumplen una pequeña parte de su función, y no hacen sino mostrar lo que deberían ocultar. Es la definición del *sex-appeal*. ¿Ha visto ya el lector, en verano o en primavera, a una mujer joven vestida con una camiseta que apenas se ciñe sobre un pecho firme y sin *brassiere*? La señal de llamada más expresiva es el relieve del pezón que sobresale bajo el algodón. Pídase a un hombre que mantenga una conversación seria con la emisora de tales señales. Basta con dos pequeños pezones apenas marcados para que la mirada, incluso la más casta, no consiga evitarlos por completo. Pueden parecer dos ojos que miran fijamente. ¿Es posible esquivar de modo permanente semejantes emisores?

Así pues, la mujer vestida es portadora de un doble lenguaje: «No mires, pero mira de todos modos».

Algunos sociólogos piensan que la razón de esta ambigüedad se debe al hecho de que la mujer se vale de sus medios de seducción para reducir la hostilidad masculina en las condiciones de la vida diaria. La mujer es vulnerable, y en el mundo anónimo en el que vivimos rara vez se libraría si no manifestara su estatus femenino. Cuando a una mujer al volante se le para el coche en un crucero, recibiría virulentos insultos si su largo cabello rubio no pusiera freno a la agresividad que desencadena este tipo de torpeza. ¿Quién entre los lectores no se ha sentido alguna vez avergonzado por dejar que una mujer sola y desconocida se las arregle con una maleta demasiado pesada? Pero no nos desviemos. La ropa femenina cumple un papel antisexual, pero no obstante protege la identidad.

— Por último, la tercera función de la ropa es ornamental. Como tal, está destinada a variar y por tanto participa de las modas. Dejamos entonces lo universal para entrar en lo particular y lo cultural. Si bien en todas partes nos vestimos para protegernos de las inclemencias del tiempo, no en todas partes nos vestimos de la misma manera.

Hubo una época en que la mujer confeccionaba ella misma su ropa. Creaba lo que le gustaba, y adaptaba sus patrones a sus formas y a su estilo.

Pero en nuestros días las condiciones económicas han cambiado mucho y este tipo de artesanía individual casi ha desaparecido. La mujer ya no tiene tiempo de preocuparse de ello y hay que reconocer que encuentra fácilmente en *prêt-à-porter* lo que los industriales hacen mejor que ella.

Pero al mismo tiempo se ve obligada a perder una parte de su personalidad y a confiar en alguien más cualificado que ella para decidir lo que deberá ponerse.

Sin embargo, es aquí donde viene el drama. Si la moda o las concepciones llegadas desde arriba la incluyen en la normalidad, todo irá bien. Pero si su cuerpo o su estilo se alejan de ella, sufrirá serias privaciones.

Si existe un medio diabólico que se haya inventado alguna vez para actuar sobre la mujer y sobre la concepción que ella tiene de su cuerpo, es sin duda a través de la moda como se ha conseguido.

De manera esquemática, la han drogado con la facilidad del *prêt-à-porter* y, una vez dependiente y sumisa, se afirma que su cuerpo no está adaptado, y se crea para aquellas a las que se quiere favorecer o proteger. Veremos, en el capítulo dedicado a las causas, para qué fin se utiliza este medio aberrante, pues hay sin duda una razón para este largo trabajo de condicionamiento y de utilización de esta dependencia.

Por el momento nos contentaremos con saber que existe una moda, y sobre todo patrones y tallas privilegiadas. Si eres de las que entran en este estrecho túnel, podrás vestirte, pero para las otras, todas las que tienen caderas marcadas, muslos de verdaderas mujeres, pechos llenos, entonces, no podrás vestirte a la moda. Hasta la talla 42 se encuentra todo lo que necesitas. Por encima, van a buscar en las reservas. Pero si anuncias una 46, entonces sonríen, apenas se atreven a decírtelo, pero nunca han tenido nada semejante. No obstante, te pueden sugerir direcciones donde visten a los marginales.

Este tipo de situación es muy frecuente. No cuento nada excepcional. Abres una revista y ves unos anuncios a todo color sobre un fondo de exotismo que te incitan a poseer un conjunto seductor. Corres a la dirección indicada, te pruebas el saco, que te queda de maravilla, pides la falda y, en el momento de ponértela, en la intimidad alfombrada de un probador, te das cuenta de que no entras en ella. Y si no estás lúcida para comprenderlo, no tardarán en aclarártelo. Se trata de tu contorno pélvico, de tus muslos, que no se ajustan a la normalidad. ¡Vaya una idea tener unos muslos tan redondeados! Y los cierres continúan desesperadamente abiertos sobre los malditos bultos.

Cuando a una mujer le sucede con excesiva frecuencia este tipo de desventura, genera en ella un estado de ánimo que la separa del grupo al que quiere pertenecer con todas sus fuerzas, y sus reacciones serán mucho más vivas y mucho más serias de lo que la mayoría de los hombres pueden imaginar.

El mundo de la feminidad es muy complejo. Una mujer está ligada a su familia, a sus hijos, a su marido, pero también pertenece al grupo en el que vive, y esto, más en nuestros días, cuando la mayoría de ellas se ven catapultadas a la vida profesional y las relaciones sociales complejas.

Recibo regularmente a este tipo de pacientes; unas veces son mujeres enojadas que echan pestes contra esta discriminación y esta elección impuestas por no sé qué diseñadores.

En otros casos son mujeres aturdidas y resignadas que harían cualquier cosa para parecerse a las otras, a todas las otras, así creen, que pueden vestirse decentemente.

La vergüenza del cuerpo

Los tabúes contra las curvas hacen recaer en nuestras mujeres otra turbación mucho más íntima que la dificultad para vestirse. Pero estos dos trastornos se refuerzan mutuamente.

Subrepticiamente, y debido a una larga intoxicación, tan hipócrita como paciente, se ha moldeado un gigantesco cerco que se ha estrechado sobre la mujer. Sería interesante repasar el historial de este engranaje. Hablaré de él más adelante. Lo que observo es que, en 1935, es decir, hace solo tres generaciones, existían mujeres que se quitaban quirúrgicamente las dos últimas costillas para lucir una cintura de avispa. Dije quirúrgicamente. Es decir, les abrían, mediante una incisión bilateral, la piel de la espalda y les desarticulaban las dos costillas en la inserción vertebral. Y dejaban dos cicatrices de unos centímetros. ¿Y sabes por qué aquellas mujeres solicitaban tales intervenciones? Para que la esbeltez de su nueva cintura hiciera resaltar un contorno pélvico y unos muslos que los hombres consideraran como lo mejor de lo mejor. En nuestros días se pide a los cirujanos que vacíen los muslos de su exceso de redondez. ¿Cómo se ha podido pasar con tal rapidez de semejante extravagancia a otra? Es sencillo, pero es más complejo descubrir por qué, y me explicaré.

Cuando los diseñadores se cansaron de imaginar el contorno, redujeron las medias copas que exaltaban los pechos y las seudocrinolinas que simulaban un contorno pélvico desarrollado, y después desataron paulatinamente los cordones del corsé que rodeaba la cintura. Las mujeres respiraron un poco mejor, y los hombres dejaron de jadear. Acababa de darse un giro. En el campo de la moda siempre hay un vanguardista para hacer un poco mejor o un poco más que su predecesor, y, progresivamente, se recortaron las curvas.

El vaivén del péndulo de la moda nos ha acostumbrado a este tipo de oscilaciones, pero por norma general se limitaba a tomar como centro de sus piruetas la base natural y biológica de la mujer. Sin embargo, de manera súbita y aparentemente sin razón, después de haber alcanzado un nuevo arquetipo de mujer de volumen equilibrado, y hasta poco contrastado, llegó un fenómeno desconocido hasta entonces. Se superó la línea de lo posible y se pusieron a crear para anormales, para mujeres sin caderas, sin muslos, sin pechos.

Todo comenzó con Twiggy, la más célebre modelo que ha conocido nunca el mundo. No me atrevo a decir el precio que los fotógrafos le proponían por posar una hora. Una mujer del siglo XIX se habría desesperado si hubiera tenido una hija con semejante cuerpo. Confieso que en aquellos tiempos le hubiera costado mucho encontrar marido. Pero su portafolio demuestra que no habría tenido ninguna necesidad de acudir a agencias matrimoniales. Estaba tan cargado que no creo que ella misma hubiera podido hacer un recuento del número de fotografías que le tomaron. Pero, esas fotografías, ¿sabes lo que se hizo de ellas? Las publicaron en blanco y negro y en colores, en periódicos estadounidenses, franceses, japoneses, en una palabra, en todas partes donde una mujer y un hombre pudieran mirar. Y Twiggy se convirtió en el ogro mitológico que habría podido comer en papel el equivalente a todos los bosques canadienses.

Y durante ese tiempo nosotros mirábamos, bebíamos ese filtro mágico que desorientaba nuestros gustos y nuestras pulsiones. Hablaba en las páginas precedentes de un lagarto perturbado sexualmente por una hembra travesti. El lagarto se parece un poco a nosotros, los pobres hombres de los años en torno a 1965 a quienes se presentaban nuevos ídolos con cuerpo de efebo griego. ¿Cómo iban a ser después nuestras reacciones ante verdaderos pechos, verdaderos muslos, verdaderos contornos pélvicos? Una vez cerrado el periódico, tendido al lado de una mujer que respira salud, hay que intentar poner en orden las ideas. Los hombres han sufrido también sus propios trastornos.

Pero de todos modos fue la mujer la que más sufrió con esta agresión; fue ella la que sintió que se volvía lentamente anormal, diferente, y la vergüenza del cuerpo como una enfermedad o como una alergia vino a picarla desde todas partes.

Esta comezón adquiere su máxima virulencia en el terreno sexual y se manifiesta de manera preferente ante la pareja, el marido o el amante. ¿Cómo enseñar el cuerpo a un hombre cuando se está convencida de que ya no está de moda? La respuesta es tan sencilla como la pregunta: no se enseña. Se oculta hasta el último momento debajo de velos protectores. Y se apagan rápidamente las luces. No se trata de fábulas fruto de mi imaginación, sino del mero reflejo de confesiones que escucho regularmente. Cabría pensar que esas mujeres son monstruosas, deformes, y que su estratagema es en cierto modo natural. Es mentira. La mayoría de las veces esas mujeres están dentro de la más estricta normalidad. No tienen nada de repulsivas, y sus maridos no comprenden las razones de semejante apagón.

Este fenómeno es tal vez el más singular y el más inesperado de entre todas mis observaciones. Las verdaderas obesas o incluso las mujeres muy redondeadas no tienen este excesivo pudor. Es posible que se hayan resignado, o simple y llanamente piensan, con sensatez, que lo que la vista no puede discernir, la mano lo siente de manera inequívoca.

Son las mujeres moderadamente redondas, y sobre todo las más guapas de ellas, las que más sufren. Todo sucede como si cuanto más nos acercáramos a la perfección, menos toleráramos la imperfección, y cuanto más cerca estamos del objetivo, más impacientes somos. Este tipo de comportamiento es común en las mujeres que no soportan que las vean sin maquillaje y que al levantarse de la cama se apresuran a recomponer el acicalamiento matinal.

Otra perturbación más seria afecta de forma muy especial a las mujeres alérgicas a sus curvas. El malentendido se produce en el momento de las caricias que acompañan a todo acercamiento sexual. La mano masculina no se pasea al azar por un cuerpo de mujer. Busca, ya sea dar placer, ya sea recibirlo, y si es posible conciliar ambas cosas. Lo que estimula al hombre es la forma, la consistencia y la plenitud firme de los pechos, de las caderas y de los muslos. Sin embargo, se desuella vivas a estas zonas y se les convierte en vergonzantes por su exclusión cultural. Por tanto, acariciarlas será siempre muy mal interpretado.

La relación sexual es una comunicación en la que el hombre regresa a las fuentes de la vida, es decir, desciende de nuevo a su primer cerebro instintivo y su segundo cerebro emocional. El primero se comunica por medio de la vista, el tacto, el olfato, el oído. El segundo, a través de los mensajes emocionales: comunicación mímica, gestos, gritos, llantos y gemidos. El tercer cerebro pensante no tiene nada que hacer aquí. Su sola presencia es inhibidora, y hay que desconectarlo a toda costa. Existe sin embargo un solo caso en el que el hombre puede servirse de él, y es cuando quiere retrasar su orgasmo por medio de pensamientos ajenos al acto propiamente dicho. Lo que indica hasta qué punto puede acabar la fiesta cuando no es bienvenido. Y la mayor parte de las frigideces o las impotencias provienen de la intromisión del tercer cerebro en los asuntos de los dos primeros.

Por cierto, no me resisto a hablar de la mantis religiosa, un ejemplo monstruoso y excepcional de sexualidad animal. La hembra de esta especie es de un tamaño impresionante. El macho hace, pues, un papel deslucido cuando llega la época de celo, pero no se resiste a la pulsión que lo empuja a copular. Todo el mundo conoce su triste final: se dejará devorar vivo y sin lucha en el transcurso del acto sexual. Se trata de una de esas anécdotas que no se pueden olvidar y que se cuentan con una sonrisa maliciosa en los salones un poco feministas. Da igual, lo más interesante y mucho menos conocido es que la eyaculación del macho solo puede producirse cuando la hembra ha devorado su cabeza. Y si no lo hace, no habrá fertilización. Quizás se entienda la relación puramente simbólica que intento establecer con nuestra propia sexualidad. La cabeza es un estorbo para la animalidad bruta del acto sexual. Y cuando decimos que una mujer es cerebral, significa que no puede impedir que ciertas ideas atraviesen el campo de su conciencia.

Ahora bien, la idea de que una mano se pasee por zonas vergonzosas es del mismo tipo de pensamiento inhibidor. Una redondez mal asumida puede ser el punto de partida de una frustración sexual que, en caso de repetirse con excesiva frecuencia, acaba por hacer mella en la confianza que una mujer puede tener en su acceso al orgasmo, con las consecuencias que eso puede acarrear en el seno de la pareja.

Las consecuencias fisiológicas: el adelgazamiento voluntario inútil

Hasta aquí el inventario de los diversos trastornos psicológicos de las mujeres que no se reconocen en los arquetipos actuales, y las dificultades indumentarias y sexuales que de ellas se derivan. Deduzco de ellas que, desde hace un cuarto de siglo, la feminidad biológica está en las antípodas de la feminidad cultural.

He dado a entender que ante estas agresiones repetidas a la mujer no le quedaba ya más que intentar adelgazar. Y aquí entro en un territorio que conozco bien y en el que ocupo una posición de observador privilegiado. Así que puedo hablar de él con sobrada experiencia. No insistiré en los casos de obesidad o de barriguita excesiva. He dedicado ya dos obras a este asunto. Lo único que me interesa aquí son las mujeres de peso normal, pero atormentadas por el deseo de perder sus formas.

¿Quiénes son esas mujeres y de dónde vienen?

Antes de pasar revista a los diversos errores y dificultades del adelgazamiento inútil, me gustaría en primer lugar hablarte un poco de esas mujeres que solicitan la ayuda del nutricionista.

¿Quiénes son y de dónde vienen? La pregunta es un poco directa, pero la respuesta es muy sencilla. Es la Señora Todo el Mundo y viene de todas partes. Entiendo por eso que no se trata en modo alguno de excéntricas de perfil psicológico singular. Su único punto en común es que no quieren ser excluidas del grupo al que pertenecen. Diré incluso que a menudo encontramos entre ellas a mujeres de carácter bastante enérgico y dotadas de un poder de decisión firme. Se deciden simple y llanamente más deprisa que otras que piensan en ello otro tanto.

Tal vez quieras saber a qué cuerpo social pertenecen. Podrías pensar que son burguesas ociosas que no tienen otras preocupaciones más que contemplar su ombligo o sus formas. Esto sería igualmente falso. Hay tantas obreras como intelectuales, burguesas acomodadas como simples dependientas, madres de familia numerosa como jóvenes colegialas.

Pero lo más sorprendente es encontrar, en ese batallón de mujeres frustradas, a combatientes de élite. Es decir, mujeres con alto nivel de responsabilidad, mujeres de acción, presidentas-directoras generales autoritarias, abogadas, sagaces financieras, periodistas de renombre e incluso profesionales de la medicina un poco avergonzadas de llegar a eso. Lo que indica cuán poderosa debe de ser la motivación e incluso hasta qué punto las que no tienen tanta lucidez y fuerza de carácter se someten sin lucha a la consigna alienante.

¿Para qué sirve la grasa?

Conviene responder a esta pregunta para saber lo que se puede hacer o no hacer para reducir las formas. La grasa, o tejido adiposo, encuentra su justo lugar bajo la piel o entre los órganos a los que rodea. Cumple una triple función:

—Una función de sostén: un poco a la manera de papel burbuja en la que se colocan los objetos frágiles que queremos transportar en una caja.

—Una función en el almacenamiento de la energía. La naturaleza ha previsto la posibilidad de alternancia de hambre y abundancia. Cuando la alimentación es muy rica, y una vez asegurado el consumo diario, el excedente se almacenará en su forma más concentrada: la grasa.

—Por último, una función decorativa y distintiva.

Y aquí vemos aparecer la primera distribución puramente sexual. Bajo la influencia de las hormonas, y sin que nadie te avise ni seas consciente, una parte de tu grasa se coloca en zonas que modelará de manera diferente según seas una mujer, un hombre o un niño impúber.

Antes de la pubertad el cuerpo no elige sus puntos de referencia. Una niña que engorda lo hará de la misma manera que su hermano pequeño. Pero, en cuanto los ovarios comienzan a funcionar, todo cambia, y la grasa invade las zonas propias de cada sexo. La feminidad guía con mano segura la distribución, y los pechos, las caderas y los muslos se convierten rápidamente en sus mejores destinatarios.

Cuando una mujer se encuentra súbitamente en unas condiciones en las que necesita recurrir a sus reservas, ya sea porque no tiene con qué alimentarse —lo cual no es frecuente en nuestros días—, o porque empieza una dieta —lo cual es mucho más frecuente—, un proceso metabólico interno ataca sus reservas y las transforma en azúcar. Esto ya lo sabes sin duda.

Pero lo que tal vez no sepas es el orden de entrada en escena de esas grasas fundidas. La primera que responde a la llamada, la más manejable, es la que se encuentra en el rostro, el tronco y la cintura. Si insistes, seguirá la grasa intersticial, la que sostiene tus vísceras, y entonces cuidado con los prolapsos de órganos. La grasa decorativa, la que nos interesa aquí, la que anuncia el color del sexo y habita en la redondez, resiste pues está concebida para no obedecer a tus humores. Su papel es demasiado fundamental para que la naturaleza te deje tocarla sin razón, y es probablemente la causa de todas tus preocupaciones actuales.

¿Qué es la celulitis?

Hemos llegado a un terreno en el que las palabras no tienen el mismo sentido para todo el mundo, y en el que lamentablemente hay tantas opiniones como personas interesadas. He aquí una palabra mágica que hace temblar a las mujeres y sonreír a los hombres. Tal vez sea útil poner un poco de orden.

No sé quién inventó esta palabra. No es buena, pero el sentido común se ha apoderado de ella con tal diligencia que cobró vida y a partir de ahora hay que tenerla en cuenta. Los anglosajones la han traducido incluso del francés con el término *cellulitis*. Exportamos incluso nuestros barbarismos.

Para los médicos, se trata de una inflamación del tejido conjuntivo que forma la trama del tejido adiposo. Para la mujer que lee una revista femenina es una enfermedad vergonzosa que crece en los muslos y en las caderas.

¿Qué hay de verdadero en todo eso? Como ya dije, existe una grasa cuya función es darte un contorno femenino. Modela tus muslos, tus caderas, tus rodillas y tus pechos. No puedes estar constituida normalmente sin poseer esas características, si bien con variaciones en cuanto a intensidad que revelan tu sensibilidad a la hormona femenina.

Si eres muy femenina y reaccionas muy fuerte a la foliculina, entonces tendrás un montón de síntomas que compensan bien ciertas ventajas, y tus formas, tu humor y tu comportamiento presentarán muchos contrastes. Si no eres sensible a esta hormona, serás plana, sin pechos ni contorno pélvico, tendrás un pequeño y extraño vello y una voz de falsete. Pero si, y aquí entramos en lo patológico, tus reacciones son anormalmente violentas, entonces corres un gran riesgo de ver aparecer en tus muslos lo que se ha convenido en llamar celulitis.

Es una adiposidad mórbida de los territorios ginoides. No se trata ya de forma sino de una verdadera caricatura. Esta celulitis es dura y dolorosa, entorpece la circulación al formar un verdadero torniquete que se opone al retorno de la sangre. Son las famosas «chaparreras» que deforman, con acúmulo adiposo. Al principio son una señal normal, pero que ha acabado mal. Pero además este síntoma no aparece nunca aislado. Cuando azota, puedes tener la seguridad de que lo encontrarás asociado a lo que llamamos síndrome premenstrual. Aparece en los diez días que preceden a la regla, durante los cuales la mujer está realmente intoxicada por sus hormonas. Su humor es detestable, duerme poco y mal, está estreñida, hinchada por todas partes. Tiene sed pero no orina y la ropa le aprieta en todas partes. Cuando viene la regla, todo vuelve milagrosamente a la normalidad en dos o tres días.

¿Hay que tratar la celulitis? Por supuesto. Su tratamiento no es en absoluto el reposo, pues no se trata de reducir el volumen sin haber solucionado previamente los problemas hormonales. Y es ahí donde reside la dificultad. Para tocar la foliculina se necesitan dedos de hada. Porque medidas demasiado bruscas pueden perturbar la regla y se corre el riesgo de que acarreen pequeños signos de virilización como un ligero vello, o una modificación de la voz. Es indiscutiblemente un asunto para especialistas.

En cuanto a las formas propiamente dichas, cuando son amenazadoras por su monstruosidad y amagan con extenderse a los territorios vecinos, existen tratamientos locales eficaces, pero largos y que exigen una atención sostenida, una alimentación especial y sobre todo un tratamiento general asociado. Pero no es necesario extenderse aquí, ya lo he debatido en otro lugar.

La única pregunta a la que habría que responder, y de manera inequívoca, es si el hecho de adelgazar actúa sobre la celulitis. Pues bien, ¡no! Podrás adelgazar tanto como puedas, pero no tienes ninguna posibilidad de modificar estas zonas enfermas. Y diré incluso más. Cuanto más adelgaces, más harás fundirse las grasas repartidas por el resto del cuerpo. Adelgazarás el busto, la cintura, el rostro; se podrán contar tus costillas y se distinguirán tus clavículas, pero la parte inferior con la que te ensañas resistirá sin chistar. Y al final de tu heroica experiencia, ¿qué observarás? Que tu cuerpo está aún más carente de armonía que antes y que tu celulitis, oasis de abundancia rodeado de delgadez, resalta más, como lo hace la nariz en medio de la cara.

Los desastres del adelgazamiento inútil

Hablo en este capítulo, y no lo olvidemos, de mujeres perfectamente equilibradas, pero que rechazan una parte de su auténtica feminidad. Si he insistido en ciertas armas que luchan contra la obesidad es, lamentablemente, porque a veces terminan utilizadas sin criterio en los casos en que no son necesarias. Hay tres consecuencias serias que coronan normalmente los intentos de adelgazamiento inútil. Cada uno de estos tres desastres es por sí solo mucho más serio que esta desafortunada redondez a la que los hombres se amoldan tan bien. Debes tenerlos constantemente en mente para descartar cualquier tentación de reducir por la fuerza este maravilloso símbolo de dulzura.

La creación de una obesidad artificial

La gente puede sorprenderse cuando se entera de que al querer reducir un ligero bulto se puede desembocar en una obesidad. Pero es así como esto comienza la mayoría de las veces. Imagina una mujer joven, resplandeciente, sana y femenina. Unos muslos y unas caderas que no piden nada a nadie, y que con el mayor decoro emiten sus señales naturales. La feliz mujer que los posee no está tan convencida y, con el deseo de parecerse a nuestras heroínas de revista, imagínate, se le mete en la cabeza que quiere adelgazar.

Bien tratada, con medios estrictamente locales, puede perder, a mi juicio inútilmente, una parte de su feminidad no deseada. En este caso no habrá otras consecuencias. Pero si se le ocurre, para conseguir sus fines, querer también adelgazar, entonces todo se complica. Al ser su peso de partida normal, ahora se ha sumido en una pérdida inútil, el despilfarro.

Al cuerpo no le gusta esto. No sabe, pobre ciego, adónde le conducirá este intento. Y en cuanto se presenta la ocasión, en cuanto se olvide la dieta en el júbilo del éxito, redoblará esfuerzos y recuperará en unas semanas lo que tan a duras penas se había perdido. Pero, y es ahí donde conviene estar atento, no contento con haber recuperado lo que se le debía, ansioso por las privaciones impuestas, se pasará de la raya y añadirá otros dos kilos adicionales a lo que era ya mal tolerado. Decepcionada, irritada, esta mujer, asaltada por la bulimia reaccional, comerá cada vez más. Eso no arreglará nada. Balance de la operación: tres buenos kilos adicionales y mal colocados.

La mecánica está en marcha, y aquí estamos, sin haberlo querido, en la órbita de una obesidad experimental. Porque pasan seis meses y, al llegar el verano, se vuelve a entrar en guerra contra esas formas que habrá que enseñar en las playas. Se pierden tres o cuatro kilos y, al volver el invierno, se recuperan cinco o seis. Balance de la operación: seis kilos de más. No hay ninguna razón para que esto se detenga.

No me gustaría convertir este libro en un manual de adelgazamiento, pero si tienes la suerte de tener un peso normal o por debajo del normal, no lo toques, pues correrías un riesgo: el de perder para recuperar mejor y entrar así en un círculo vicioso del que solo saldrás obesa.

Después de los treinta años, adelgazar hace envejecer

También en este caso voy a dirigirme a las mujeres de peso normal, pero que sienten la tentación de adelgazar para perder unas formas que no están ya de moda. Aparte de la inutilidad de esta iniciativa, un peligro les amenaza de manera muy especial si tienen más de treinta años. Porque si el volumen de los muslos no cede ni un centímetro a los asaltos de la dieta, el rostro reacciona de inmediato y se hunde a la menor privación. Nos encontramos entonces ante un dilema singular, elegir entre la parte de arriba y la parte de abajo. Elegir entre unos bultos ocultos y un rostro que se luce de manera permanente. Ante semejante elección, ¿quién no se decidiría en favor del rostro? Lamentablemente, siempre se opta por los muslos, y el rostro se marchita. De mi experiencia de nutricionista he aprendido una ley que afecta a la belleza de las mujeres. De manera absoluta y para envejecer lo menos posible, sería deseable ser delgada hasta los treinta años y ganar regularmente un poco de peso cada año hasta la menopausia. Basta con unos cientos de gramos anuales para atemperar los efectos antiestéticos de la edad. Como la piel se afloja con el tiempo, conviene tensarla ligeramente desde el interior para compensar esta pérdida de elasticidad. Pero ¿qué mujer va a aceptar hoy en día semejantes preceptos? La ceguera está en las mentes, y sin duda acabaremos un día por ignorar el rostro para exhibir una pelvis androide.

Antes de los treinta años, adelgazar puede hacer desaparecer la regla

Se trata en este caso de una observación cotidiana. Y no sabemos muy bien cómo ni por qué, pero cuando al cuerpo de una mujer joven se le exige con excesiva brusquedad, haciéndole adelgazar más allá de las normas biológicas, las reglas se espacian o se interrumpen. Este fenómeno interesa de manera muy especial a las jóvenes o a las mujeres que no han tenido todavía hijos. Todo lleva a creer que el organismo reacciona muy mal a estas peregrinaciones al territorio de la delgadez. Y tal vez sea su manera de hacernos entender que ha sido maltratado. Un choque traumático o afectivo se traduce en los mismos efectos, y sobre todo no hay que menospreciar esta amputación de la feminidad, pues conozco personalmente casos en que la regla no ha vuelto nunca y se ha llevado con ella el acceso a la maternidad. He aquí otra ocasión para ser prudente y no poner en peligro lo esencial por lo superfluo.

Píldora y redondez

Me resultaba difícil terminar este capítulo sin hablar de la píldora. Aunque la redondez está sin duda en el corazón de los hombres, no goza del favor de las mujeres. Este anacronismo es el tema central de mi libro. Sin embargo, sé, y es un médico quien te habla, que la píldora es un método anticonceptivo favorable para ganar peso. Pero no ese peso que puede resultarte indiferente, sino el que se transforma en volumen y viene a atormentar tus muslos. Estoy encantado de ponerte ante esta alternativa, y ante una elección contradictoria en la que se enfrentarán dos imperativos culturales.

Por un lado, responder a la exigencia legítima de elegir el tiempo de los amores fértiles y, por el otro, seguir ciegamente y contra toda lógica los cánones de una moda de delgadez extrema. Y reconozco que, en este punto, reflexionas durante mucho tiempo antes de tomar una decisión. Pero, la mayoría de las veces, no confías en mi palabra y quieres intentar la experiencia. Y desde luego no sería yo quien te lo impediría, pues ya conoces mi postura acerca de la redondez femenina. Lamentablemente, el ensayo es siempre concluyente, y tus muslos no resisten. Aquí estás de nuevo ante la elección inicial. Es el momento que elijo para reiterarte mi mensaje. Todo volvería a su justo lugar si te liberaras incluso parcialmente de ese tabú de las formas. Tu feminidad lo reclama, y los hombres no darían crédito a sus ojos. ¿Quién perdería con ello? Nadie. Los fabricantes de *prêt-à-porter* y los creadores de moda se verían obligados sin duda a seguirte, porque de todos modos eres tú quien les permite vivir. Pero ya sé que mi voz no es suficiente, y en el capítulo siguiente apelaré a todos aquellos que están mucho mejor situados que yo para actuar sobre tu subconsciente.

Trastornos masculinos

Este libro no está dirigido exclusivamente a las mujeres. Porque con el tiempo he comprendido que todos los argumentos lógicos no tenían peso suficiente ante la omnipotencia del inconsciente colectivo. Tengo, sin embargo, razones para esperar desempeñar el papel de desencadenante. ¿Pero un desencadenante de qué, exactamente? Sé quién es el responsable de su actual situación de mujeres frustradas. Pero ese ogro que se complace con tus miserias es demasiado hábil para actuar al descubierto. Prefiere enviar sus órdenes a tus estructuras inconscientes y a tu gusto innato por la pertenencia al grupo. Burla de este modo todo intento de acción consciente. Así, la única respuesta adaptada será emitir en sus propias longitudes de onda. Más adelante veremos cómo.

Mientras llega ese momento, necesito a los hombres porque, aunque las consignas culturales se dirigen también a ellos, lo hacen en mucho menor grado. Y les queda una parte de independencia sobre la cual puede actuar un discurso racional.

El hombre se ve afectado por los tabúes de las curvas, pues está ligado a su mujer por vínculos afectivos y sexuales, y estos dos vínculos se refuerzan mutuamente. Pero su estatus de macho, que vive en una sociedad compleja, quiere que la esposa que ha escogido se acomode a una doble exigencia.

La primera es que ella le guste personalmente; y con eso pienso en una armonía que tiene que ver más con la naturaleza que con la cultura. Vas a poner sin duda el grito en el cielo, pero debo decirlo de cualquier modo. La armonía fundamental e individual entre un hombre y una mujer pasa obligatoriamente por la sexualidad. La ecuación encierra un montón de indicios, que pueden parecer triviales pero que cada día ganan un poco más de pertinencia en el pensamiento de los biólogos y los etólogos.

Al olor no le prestas atención, el tacto de la piel te parece secundario, la forma de las caderas, la redondez de los pechos, ciertas actitudes te cautivan al margen de toda conciencia, una dilatación de las pupilas especialmente viva cuando sostienes la mirada de tu pareja, unas señales de participación sexual rápidas a tu contacto, y por último el orgasmo que le proporcionas, y las muestras del comportamiento de aplacamiento y de ternura con las que ella te lo agradece inconscientemente, todos esos mensajes forman un haz poderoso que llega a tu primer y tu segundo cerebros arcaicos y actúa sin que tú te lo imagines. Durante este tiempo, tu tercer cerebro, el que tiene el cometido de racionalizar y proporcionar coartadas para todas tus decisiones, te cuenta que esta mujer es culta, bella, inteligente, de la misma religión que tú, que se viste bien, que es refinada, bien educada, alegre, y de buena fe piensas que, si has optado por ella, es por todas esas razones. De hecho, no influyen en tu decisión, sino en la del seno del grupo en el cual vives. El aglutinante fundamental es aquel que se oculta, aquel para el cual se habla de «encanto», de momentos «mágicos», de «atmósferas», de «no sé qué», para explicar lo que no se explica. Y lo que es más impresionante en estas revelaciones que nos hace hoy la ciencia del comportamiento es que esos mensajes son muy selectivos. Los olores o la dilatación de las pupilas, por ejemplo, que desempeñan un papel grandioso y oculto en el momento del primer encuentro, son eminentemente personalizados. No hay dos mujeres en el mundo que tengan el mismo olor y, aunque no se sepa esto, se percibe bien. Y la dilatación de las pupilas solo se dirige a ti. Tu vecino no habría tenido derecho a ello, y tú mismo has sufrido sus efectos sin percibirlo siquiera. Sin embargo, al volver a tu casa, te dirás: qué agradable conversación, qué bonito cabello. Pero ella habría podido igualmente estar callada, o llevar un sombrero, y eso no habría cambiado nada. La comunicación biológica se habría establecido a pesar de todo. Y no hablo siquiera del cuerpo, de las manos, de la voz. No hemos llegado todavía al final de los descubrimientos que la biología nos aportará mañana sobre las motivaciones fundamentales del hombre. ¡Pero cuántas sorpresas en perspectiva! Estoy convencido de que un día se sabrá exactamente lo que cubre esta afirmación tan corriente y prosaica: «Tener a alguien dentro de la piel».

La segunda razón de tu elección tiene su origen en tu contexto cultural. Muchos hombres de vida social intensa prefieren sacrificar sus aspiraciones biológicas y casarse con una mujer de su medio, una mujer «conveniente». Pero sabemos que este tipo de matrimonio conveniente, si no está iluminado por la magia de la comunicación arcaica, corre el riesgo de apagarse rápidamente. Sin embargo, no debemos subestimar estas razones.

En nuestros días, y en lo que se refiere a la redondez, el hombre tiene que hacer una elección extraña. Estas formas desempeñan un papel muy importante en su sexualidad y su comunicación arcaica. Él lo sabe o no, según sea su grado de lucidez. Pero, por otro lado, la sociedad en la que vive no las quiere y las desprecia. La mujer de un hombre es su media naranja, es su compañera, pero es también un signo de poder y de riqueza exterior. Un hombre que tiene una bella mujer ha sido siempre envidiado y por tanto considerado. Entonces, quiere no solo que ella sea bella para él, sino también para los demás. Cuando sale, insiste para que ella sea la mejor vestida, y aun en el caso de que no la valore especialmente maquillada, se hace de la vista gorda ante su maquillaje cuando recibe a las visitas. Las joyas, los perfumes artificiales, los tratamientos de belleza, la elegancia, son a menudo para el exterior, y qué le importan los aretes y los diamantes cuando la velada ha terminado.

Lo mismo cabe decir de la redondez. En su viejo fondo inconsciente de macho la aprecia, y, sin que realmente lo sepa, le sirve para amar a su mujer. Pero, en sociedad, preferiría poder ahorrársela. Sin embargo, para poder satisfacer tales exigencias no es necesario ser matemático para comprender que le harían falta dos mujeres. Una con la que se sale y otra con la que regresa. No hago más que explicitar viejos clichés.

Y cuando una mujer que posee esta bella redondez armoniosa, como una casada demasiado bella, se decide a perderla y habla de ello con su esposo, nace un conflicto en ese hombre entre lo que es consciente e inconsciente en su propio cerebro. No dice que sí, pero tampoco dice que no, y, al no soportar esta contradicción fastidiosa, deja hacer. Ahí estamos. Los hombres vacilan entre la fachada social y las exigencias de sus manos y de sus ojos. Lamentablemente, las manos y los ojos no hablan y no dirán nunca cuánto puede costarles el perder una parte de su razón de ser.

Si te queda alguna duda a este respecto, compara las lecturas de una pareja y comprenderás. Las mujeres disfrutan con las bonitas imágenes de moda de sus revistas femeninas. Conocen mucho mejor que yo a las modelos que se encuentran en ellas, percheros de bonitos rostros comodines y cuerpos sin asperezas para adaptarse mejor a la indeformabilidad de la prenda. Ni siquiera se le ve, se le adivina, pero el mensaje insidioso se transmite y se infiltra en las conciencias femeninas.

En cuanto al hombre, presta atención a su manera de pasearse por las librerías: husmea, hojea y, mira nada más, abre casualmente una *Play boy* o cualquier otra revista masculina. Si tuviera ánimo, y algunos lo tienen, la compraría. Pero la mayoría de las veces pone cara de indiferencia ante esas bellas imágenes en colores.

¿Cree el lector en la fuerza plástica de los bellos colores? Los editores de revistas masculinas no están tan locos, y desde luego las modelos desnudas no son las únicas que mejoran su tirada.

Veamos también qué tipo de actriz de cine le gusta a los hombres. Y, forzando la investigación hasta los límites de la curiosidad: intenta averiguar quién compone el jurado de las elecciones de Miss Universo o de Miss Europa. Hombres, siempre hombres, y comprenderás por qué las '*misses*' en cuestión tienen sistemáticamente unas medidas que dejan sin respiración. Raoul Walsh decía: «Toma a cualquier mujer de rostro insignificante y dile que se ponga una camiseta ceñida sin sujetador, y magnetizarás todas las miradas».

Una pareja en el seno de la cual la mujer pierde regularmente peso e intenta desesperadamente parecerse a las modelos consumidas que se le proponen es una pareja que asume un riesgo. Porque la sexualidad, que presenta una tendencia natural al desgaste, se apagará aún más rápido en esas condiciones de artificialidad. Que las mujeres continúen pareciéndose a sus ídolos enjutos, que pierdan su frescura, sus curvas y su olor, y acabarán sin duda perdiendo a su marido. Porque sigue habiendo algunas pocas mujeres, suficientemente sencillas e intuitivas para comprender, a pesar y contra cualquier intoxicación, que su capital más preciado es aquello que las demás rechazan. ¡Y cuidado con esa clase de mujer si se interesa por tu hombre!

Necesito a los hombres para que, llegado el momento, puedan poner en la balanza su inmenso peso. Hasta ahora no lo han hecho. No quieren meterse en esas cosas de mujeres, se quejan si se les involucra pero temen parecer anticuados. Un capítulo más, y habrá llegado el momento de actuar. Tienes que estar preparado, pero si el asunto sale bien, entonces podrás, como dicen los ingleses, «tener el pastel y comértelo». Tener una sola y misma mujer, apetecible y «presentable» al mismo tiempo.

LAS CAUSAS DEL TABÚ DE LAS CURVAS

Podría pensarse que la fascinación por la delgadez es el resultado de una moda pasajera, insignificante y sin grandes consecuencias, y que, en resumidas cuentas, no hay motivos para preocuparse demasiado. Esto sería en primer lugar cerrar los ojos a los sufrimientos de todas aquellas que no consiguen identificarse con los arquetipos actuales. Estas frustraciones no percibidas por los hombres son reales.

Pero mucho más importante es comprobar que por primera vez se rechaza una característica natural y biológica creada con fines concretos hace dos o tres millones de años. Estamos tan intoxicados que no concedemos ya mucha atención a las curvas femeninas. Se ha banalizado, y la mayoría de las lectoras tal vez duden todavía de que pueda tener el mismo impacto que el pecho, la ausencia de vellos o la voz femenina. Es, sin embargo, una característica física y, en el terreno de nuestra evolución y de nuestro éxito como especie, la redondez tiene tanta importancia como un órgano. Forma parte, pues, de nuestro patrimonio, y siento su actual prohibición como una pérdida o una amputación.

Lo que me preocupa es que en el resto de los seres vivos, cuando un animal rechaza un comportamiento natural o se automutila, el grupo en el que vive está amenazado de extinción. Por muy inocuo que pueda parecerte este síntoma, debemos considerar el desprecio de las formas femeninas como uno de los fallos de nuestra civilización occidental. La demografía galopante, el agotamiento de las reservas, la contaminación, el aumento de la criminalidad, de la delincuencia, la pérdida de prestigio de la familia, la extrema inclinación a la droga y la homosexualidad son otros que te parecen más graves y más amenazadores.

Personalmente, me da más miedo esta pérdida que se inscribe en el cuerpo de la mujer, pues parece anunciar algo mucho más grave: la eliminación de la diferencia entre los sexos y, a largo plazo, provoca un riesgo en la familia, que ya es bien frágil. Sin embargo, la familia es la base de toda sociedad, de toda cultura y de toda civilización.

En todas las épocas, cuando una civilización caía de muerte natural, como una fruta madura, había otros pueblos más vigorosos y a menudo más primitivos para sucederla y crear otra. Hoy nuestra civilización se ha mundializado y, si caemos, seremos los últimos.

La pérdida de una tradición, de una moda, de un rito cultural, es siempre un poco desequilibradora, pero el rechazo de un órgano inserto en la carne, mensajero de la diferencia, generador de deseo, de placer y de reproducción, es grave y anuncia tormentas.

Si nuestra sociedad ha favorecido el sacrificio de una característica tan preciada es porque, detrás de las apariencias anodinas, razones muy poderosas y ocultas han debido de desempeñar un papel decisivo. Esa es mi opinión, y este capítulo dedicado a las causas del tabú de las curvas responderá a tres preguntas inevitables: ¿quién da la consigna? ¿Quién transmite la consigna? ¿Y por qué nuestras mujeres la aceptan?

¿Quién da la consigna? Sociedad de consumo y feminismo

En la base de todo el asunto se encuentra como siempre una base biológica. Un viejo instinto, asociándose a un nuevo cerebro, abrió el camino que conducía ineluctablemente al hombre hasta nuestra cultura mundializada y altamente tecnológica. ¿Cómo dos características biológicas, ya presentes en el hombre de Cromañón, habrían podido hacer prever lo imprevisible? Veamos, por tanto, estos dos atributos humanos primitivos.

El hombre creador de útiles: Homo faber

El instinto exploratorio

No es este un instinto que pertenezca exclusivamente al hombre ya que está presente en toda la escala animal. Si se pone a una ratona en una habitación que no conoce, o en un laberinto, y, al mismo tiempo, se le ofrece comida, solo se interesará por ella después de haber explorado por completo su nuevo territorio, y eso incluso si está hambrienta. En términos biológicos, decimos que su comportamiento exploratorio ha sido más fuerte que su instinto alimenticio. A veces llegamos a la conclusión, y con total ingenuidad, de que dicho animal es curioso. Pero lo que no sabemos es que esta curiosidad está poderosamente grabada en sus estructuras.

Este instinto tiene un sentido muy concreto: permitir el descubrimiento de nuevas reservas de alimentos e informarse de los peligros circundantes. Favorece sobremanera la supervivencia. Comer, sin saber si el territorio es seguro, es correr un riesgo que un roedor evita siempre.

El hombre se cuenta entre los animales cuyo comportamiento exploratorio se lleva hasta sus límites más extremos. Desde la infancia manifiesta un interés absoluto por todo lo que es nuevo, lo que empuja a los padres ansiosos a vigilarlo de muy cerca para evitarle experiencias peligrosas. Ningún rincón, ningún objeto escapan a su vigilancia, pero, apenas aplacada su curiosidad, sale de nuevo de caza, y su búsqueda insaciable lo llevará así a la edad adulta. Podría creerse que todo va a parar. A veces eso es lo que sucede, pero toman el relevo los exploradores profesionales, los que han trazado los mapas del mundo, que se han perdido en los abismos submarinos y las cumbres inaccesibles. La luna, por su parte, ha sufrido los efectos de este viejo instinto. Pero paralelamente, y esto es lo que nos interesa enormemente, la exploración se ha hecho en nosotros mismos. Un investigador científico no es otra cosa que un explorador de las leyes de la naturaleza, y la curiosidad intelectual ha mostrado que no tenía límites.

Una mutación: el nuevo cerebro humano

El nuevo cerebro humano tiene ochenta mil años y catorce mil millones de células. Es fruto de la gran mutación que nos permite pensar y sobre todo sobrevivir. ¿Qué habría sido de nosotros, pobres primates aislados, sin la fuerza del gorila y los caninos acerados del mandril? Sin defensa y sin posibilidad de cazar, este bonito cerebro totalmente nuevo habría acabado bajo las garras de un predador.

Pero, como si fuera un milagro, este increíble órgano comenzó a funcionar progresivamente y nos permitió crear, inventar. Cuando la curiosidad abordó tales posibilidades, una simple piedra sostenida en el hueco de la mano se convirtió en nuestra primera arma y en nuestra primera herramienta. La naturaleza nos había ofrecido un órgano gracias al cual íbamos a invertir, con el tiempo, el inmenso campo de las posibilidades. La herramienta o el arma resultaban ser la prolongación de la mano, y nos las hemos apropiado sin dudar. La combinación de estos dos componentes de la naturaleza humana iba a llevarnos muy lejos, como vamos a ver inmediatamente.

La inevitable marcha del progreso

Debes pensar que estamos lejos del tabú de las curvas. Es cierto. Como ya he dicho, en aquellas épocas remotas las mujeres más bellas eran seleccionadas en función de sus redondeces. El nuevo cerebro no se interponía aún en la feminidad. Pero paciencia, ahí vamos.

Por el momento, estamos con el hacha y muy pronto estaremos con el arco, y cuando aparece un nuevo invento, no se patenta y se guarda en secreto; se difunde y de inmediato forma parte integrante del capital humano. El fuego es dominado rápidamente, y, con él, el arte de trabajar el metal. Las armas son cada vez más sofisticadas. La rueda, que nos parece tan obvia, fue un inmenso progreso. Pero nuestro propósito no es hacer un inventario de las primeras etapas de la invención humana.

Basta simplemente con señalar que había aparecido un mecanismo, que había permitido a nuestro sentido exploratorio inspeccionar y dominar la naturaleza. Y después vinieron la agricultura y la ganadería, que nos liberaron definitivamente de la caza y sus obligaciones permanentes. A partir de ese momento el hombre tenía las manos libres para construir las primeras grandes civilizaciones. Y los inventos progresaron cada vez más, llevando en su estela los beneficios de la tecnología. La comodidad y el bienestar que de ello se derivaron debían ser interpretados como recompensas.

Después no hemos dejado de progresar, de comprender y de descubrir, y a esta actividad le hemos dado el prestigioso nombre de «progreso». Al principio, este término tenía un sentido muy prosaico. Significaba solamente: ir hacia delante. Pero al comprobar que esta dirección albergaba una generosidad del tipo de Santa Claus, pudimos conferirle un sentido igualmente mitológico.

Desde entonces, y sobre todo desde que entramos en la era industrial, una verdadera guerra de religión opone a los progresistas y a todos los reaccionarios que intentan frenar ese caballo desbocado. Sin embargo, nada lo conseguirá. Habrá que esperar a la intromisión de nuestra curiosidad instintiva en el núcleo del átomo y en el, aún más intocable, de la célula humana, para que conciencias clarividentes se pregunten profundamente por el valor real del progreso. Pero las bombas de hidrógeno están ya en sus depósitos subterráneos y esperan con impaciencia nuestra respuesta definitiva.

La sociedad de consumo

Todo fue bien hasta la aparición de la máquina. La energía dominada y domesticada permitió entonces sustituir la mano de obra humana por la máquina industrial. La artesanía dejó ahí sus últimos gremios, y la tentación de producir masivamente eclipsó todas las nostalgias.

Desde ese día, la máquina gira al máximo, y la producción se ha convertido en el principal índice de riqueza de una nación civilizada.

Sin embargo, y es por ahí por donde llegamos a nuestro tema, producir no habría tenido ningún sentido si no existiera, juntos en manada, la enorme masa de consumidores. Entonces, se las ingenian para satisfacer todos sus deseos. Sus menores aspiraciones se pusieron en tarjetas perforadas, y el objeto de sus deseos salió al instante por miles de nuestras cadenas de ensamble.

Pero, muy pronto, surgió un doble obstáculo, que refleja la paradoja de nuestra civilización. El deseo, sistemáticamente satisfecho, terminó por agotarse y los saciados consumidores fueron cada vez más escasos. Sin embargo, la máquina giraba y, como un Minotauro hambriento, pedía cada día su nueva carreta de víctimas.

La primera dificultad pudo ser esquivada gracias a un nuevo condicionamiento de nuestras motivaciones. Si no tienes ya deseos, entonces nosotros nos encargamos de proporcionártelos, y es ahí donde intervino la nueva cultura. Ayudada por la publicidad y los medios de comunicación, se las ingenia hábilmente para crear para nosotros nuevas necesidades. Fue la época de la industria automovilística, el teléfono, la lavadora, y pronto de lo inútil, que, a través de la droga publicitaria, nos lanzó, dependientes, hacia los artilugios electrónicos y a la alegría un poco infantil de apretar botones.

La segunda dificultad es más difícil de eludir. Cuando el consumidor escaseó, hubo que seducirlo y atraerlo de allí donde pudiera esconderse. Pero, cuando los últimos reacios fueron sacados de sus agujeros, no quedó más que una solución: interesarse por los vecinos subdesarrollados. Fue la época del imperialismo económico y del colonialismo. Todos sabemos cómo terminó eso. De vuelta dentro de nuestros límites, solo quedaban las mujeres. Llegaba a grandes pasos el tiempo del feminismo y, en su estela, el tabú de las curvas.

Psicoanálisis de una civilización: el feminismo

Cuando nos detenemos a contemplar las grandes civilizaciones que nos han precedido, no podemos dejar de comprobar que los grandes impulsos de vida que las atravesaban fueron engendradas por los descubrimientos científicos y los progresos tecnológicos que de ellos se derivaban. Pero, paralelamente a estas innovaciones tecnológicas, la cultura, los gustos, las artes y las modas cambiaban y modificaban las formas de vivir.

Hoy día, en el corazón de la sociedad industrial, ha nacido una cultura que nos crea una afición desenfrenada por el consumo. El «american way of life» ha invadido desde hace tiempo el mundo y, si un día explotamos, es probable que un futuro explorador marciano se formule no pocas preguntas sobre las botellas de Coca-Cola que encontrará entre todas nuestras ruinas.

Pero veamos más bien cómo esta cultura, al servicio de los imperativos económicos, engendró el feminismo.

Hasta la última guerra en Europa, cada poder adquisitivo estaba representado por una familia y un solo bolsillo, el del marido.

Cuando este poder adquisitivo se saturó y amenazó la catástrofe económica, nació la idea, que había atravesado el Atlántico, de que se podría intentar incitar a la mujer a convertirse en consumidora de plenos derechos. Lo cual prometía duplicar las posibilidades de absorción del mercado.

Pero para eso era necesario que fuera autónoma, y sobre todo que trabajara. Sin embargo semejante atentado contra su papel de mujer en el hogar y bajo la tutela del marido volvía el asunto difícil en los países latinos, donde no se juega con las tradiciones.

Pero la economía no tiene escrúpulos. Sus medios son fijados por sus fines. Quería a la mujer, y la tendría, cualquiera que fuera el precio que tuvieran que pagar la familia o la sociedad.

Las resistencias fueron socavadas una tras otra, no abiertamente sino con total inconsciencia a través de una nube de buenas razones racionales y morales. Y no fueron reducidas mediante la fuerza, sino mediante artimañas y droga.

Lo primero que se inyectó fue el consumo, y con paciencia el condicionamiento se grabó en nuestros surcos. Como perros de Pavlov, comenzamos a salivar ante cualquier artilugio doméstico o indumentario. Nos hicieron soñar con congelados y luego con congeladores, con televisiones y luego con videos, con viajes exóticos y el sol enlatado. Todo ello a crédito y entregado a domicilio.

Cuando la droga estuvo suficientemente introducida y la tolerancia nos hizo dependientes, los hombres se sintieron desbordados. No podían ya hacer frente a todas esas necesidades.

Había que volver atrás y aceptar una semiabstinencia, o ir resueltamente hacia delante y adoptar el nuevo estatus de la mujer en el trabajo. En nuestros días, una de cada dos mujeres que viven en la región parisiense trabaja.

La droga del consumo era virulenta e incluso brutal, pero con ella sola no era suficiente para desbloquear los cerrojos de la distribución biológica del trabajo, que se remontaba a los primeros hombres.

Hizo falta entonces el canto cultural de las sirenas, la fascinación de las buenas razones humanitarias y moralizantes, y sobre todo la técnica del lavado de cerebro por medio del doble mensaje.

Una sociedad, del mismo modo que un individuo, puede ser psicoanalizada. Basta con ponerla en un diván y dejarla hablar. Si le haces notar que, desde hace dos millones de años, todas las civilizaciones que la han precedido han aceptado siempre la vieja ley del macho, herencia del mundo animal, y que, a pesar de algunos abusos, las cosas no iban tan mal, entonces, ¿por qué ese gusto reciente por el feminismo militante? Te responderá:

—Los tiempos han cambiado, las mujeres se han vuelto lúcidas. Han abierto por fin los ojos y han visto la esclavitud en la que los hombres las mantenían.

—Pero ¿por qué solo desde el final de la Segunda Guerra Mundial? Nada les impedía ser lúcidas en el siglo XVIII o en el XIX. George Sand pensó sin duda en ello, entonces, ¿por qué no lo hicieron todas las demás mujeres? Las revueltas de esclavos existían desde Espartaco, y ¡qué gran oportunidad tenían con la Revolución francesa!

—No, el momento no había llegado, los progresos de la ciencia eran insuficientes, las fuerzas políticas de oposición no existían.

—Pero ¿por qué los hombres admiten hoy esta autonomía, esta libertad sexual de la que eran tan celosos, tan posesivos?

—Porque por fin han comprendido que estaban equivocados y han tenido que ceder terreno, pues las mujeres son numerosas y decididas.

La conversación podría prolongarse, pero solo revelaría un discurso justificativo, el que es consciente. Mientras que el discurso inconsciente, el que hay que ocultar porque es vergonzoso, es que hay que alimentar al ogro de la producción, y que las mujeres liberadas han servido bien para el negocio.

Desde entonces, el feminismo deseado, permitido por las condiciones económicas, iba a forjar una ideología de combate y a promover sus propias normas culturales, entre ellas una nueva concepción del cuerpo y muy especialmente el rechazo de la redondez.

Y ahí, en el corazón de un movimiento que se mundializa, encontramos el mismo doble mensaje:

El lenguaje inconsciente, el que dirige oscuramente las operaciones, es el rechazo de los polos sexuales. El hombre y la mujer son iguales, luego aquello que marca sus diferencias es malo para la doctrina. Para imponer los mismos salarios, los mismos derechos, las mismas libertades sexuales y económicas, hay que reducir la diferencia donde quiera que exista, en los comportamientos, en los gustos y las modas.

En cuanto al cuerpo, aunque esto pueda parecer impensable, hay que intentar atenuar las diferencias demasiado llamativas y eliminar todo lo que huela a la polaridad sexual, que no es vital.

El lenguaje justificativo que se cree consciente es el que se inculca a las mujeres para permitirles recitar argumentos. Y, como siempre, es un discurso humanitario y moralizador que habla de lo «bello», de lo «bueno» y del «bien».

Lo «bello» femenino se convierte súbitamente en aquello que toda la vida se ha considerado como inaceptable. Los pequeños pechos androides pegados a unas costillas salientes se convierten en el canon que se busca; el *brassiere*, inútil, se convierte en anticuado y se decreta que los pechos voluptuosos son vulgares. En su caso, no se duda en hablar de mamas. En cuanto a las caderas y los muslos, son a partir de ahora unos bultos molestos, inquietantes, que trastocan la armonía del cuerpo. Hace falta una lucidez heroica para oponerse a semejante corriente.

Después del lenguaje de lo «bello», y por si no es suficiente, entonarán las cantinelas de lo «bueno» y, ahí, se valdrán de tonterías seudomédicas.

La más maligna es la invención de la celulitis, esa palabra que produce escalofríos desagradables en la mujer más inteligente. La más ligera redondez de muslos, la menor curva, serán calificadas de chaparreras. Te dirán con la más absoluta seguridad que eso dificulta la circulación de la sangre, que hay que adelgazar muy deprisa para evitar las estrías y las varices. Y si tienes la desvergüenza de dudar de ello, agregarán que tu peso es excesivo y que corres el riesgo de obesidad, que el colesterol te intoxica y que el ablandamiento de carnes te acecha.

Por último, guardan el «bien» para el final, y contra ese argumento no hay nada que objetar. Estamos ahí, precisamente, en el registro de la histeria colectiva. Y fríamente, sin tener el menor miedo a hacer el ridículo, te repiten como un *leitmotiv* que con dos kilos más una no se siente «bien». Nos quedamos saturados, ahogados por cualquier cosa, congestionados, y ya no se vuelve a estar tan alerta, tan alegre.

¿Y cómo vivían nuestras madres con un diez o quince por ciento de peso adicional, aun siendo consideradas como delgadas en su época?

Objetivo: reducir las diferencias sexuales

La gran preocupación del proyecto feminista fue en primer lugar convencer a las mujeres. Eso no es tarea fácil, créeme; y esta ideología sigue encontrando inmensas resistencias. Porque, en contra de todo lo que quieren hacernos creer, la mujer siente instintivamente su papel y su función.

El gran engaño reside en la palabra «igualdad». Esta palabra contiene una noble aspiración que nadie puede discutir. Pero, protegida por ese estandarte inatacable, se ha pasado lentamente del ideal de los sexos iguales a otro, monstruoso, el de los sexos idénticos.

En el entusiasmo de su justa lucha para conseguir los mismos derechos, las feministas han incluido inconscientemente un intento inútil de abolición de las diferencias.

Diferente se convertía en desigual y derivaba rápidamente hacia la noción de inferioridad. Es en este segmento donde el feminismo encontró sus mejores argumentos y de donde tomó la mayoría de las convicciones. Y es en este clima de amalgama en el que se declaró la guerra contra las diferencias.

Sin embargo, una mujer es fundamentalmente diferente de un hombre. Para convencerse de ello le basta mirar su cuerpo en un espejo, ver su rostro, su cintura, sus pechos, sus caderas, su piel, oír su voz.

En lo que se refiere al comportamiento, la afectividad y la sexualidad, hay quien se ha atrevido a decir que había una estricta identidad y que la sumisión secular había creado de la nada un arquetipo puramente cultural.

No sé quién dijo que no se es una mujer, sino que se llega a serlo. O, mejor dicho, lo sé demasiado bien. Pero entonces, antes de llegar a ser una mujer, ¿qué se puede ser? ¿Un ser asexuado, indiferenciado, o un hombre tal vez?

No me atrevería a utilizar argumentos ligados al comportamiento periódico de la mujer así como a sus maternidades, sería demasiado fácil; ¡su vida sexual es en sí misma tan distinta y tan complementaria de la del hombre! Todo eso es demasiado clásico y sobrepasaría mi intención.

He de confesar sin embargo, y únicamente por el gusto de la anécdota, que una proporción estadística suficiente de mujeres, ricas en foliculina, tienen «la manía de la limpieza y del orden» unos días antes de la regla, es decir, en un periodo en el que están empapadas de hormonas, y por tanto eminentemente femeninas.

¿Quién me creerá? Y sin embargo es verdad, y sé que, al leer estas líneas, algunas mujeres reconocerán esas necesidades incontrolables de cambiar los muebles de sitio y de ponerlo todo en orden.

Pero poco importan los comportamientos y el afecto, que tanta oposición provocan. Sería necesaria otra obra para comparar estos dos perfiles psicoafectivos. Lo que está en el centro de mi tema es el cuerpo de la mujer, y es en este territorio tan altamente contrastado donde las consignas han sido más ofensivas y los dictados, más cegadores. Al ser las diferencias patentes corrían el riesgo de alterar toda la teoría, entonces se ha luchado contra lo imposible y se ha conseguido alcanzarlo. Para ello ha bastado con lanzar modas en ráfagas que se abatían simultáneamente sobre todo lo que podía distinguir al hombre de la mujer con el fin de reducirlo.

Intentemos hacer un breve inventario:

El cabello

Es clásicamente largo en la mujer y corto en el hombre. Se seleccionaron sistemáticamente modas que invirtieron esta tendencia natural. Bastó con el aura mítica de los Beatles y las bromas históricas de algún cómico de la época para que una juventud contestataria y sana se dejara crecer el cabello. Fue la moda de los *beatniks* y de los hippies. Hoy son las colas de caballo, los aretes y los *piercings* los que han tomado el relevo.

En cuanto a las mujeres, todo comenzó con Jean Seberg, a quien su maravilloso rostro permitía todas las variaciones.

Desde entonces, la longitud del cabello femenino fluctúa pero no vuelve ya a las cabelleras de monja.

El sistema piloso

No se ha logrado todavía encontrar un medio de volver a las mujeres velludas. Entonces se hizo que la barba y los bigotes masculinos pasaran de moda. En nuestros días, llevar bigote es signo de vulgaridad, y la barba, una rareza. Y todas las publicidades actuales gratifican al hombre «rasurado al ras».

El pantalón

Ha sido durante mucho tiempo una prenda estrictamente masculina. Ya no lo es. Hasta tal punto que vuelve obsoleta una expresión tan típicamente francesa como «llevar los pantalones» aplicada a una mujer cuyo comportamiento es autoritario y viril.

Las primeras que se atrevieron a ponérselo eran unas mujeres maravillosas un poco ridículas, pero lo bastante bellas y excéntricas para que se les perdonara de antemano. Y luego, las mujeres originales se convirtieron en legión, y el pantalón terminó por fin de resultar chocante en ellas. El ojo se acostumbra a todo, y aun cuando el asunto solo sea simbólico, es altamente revelador.

Pero, al menos, aquellas primeras prendas respetaban las curvas, dejaban respirar a las caderas y a los muslos al ceñir la cintura y las pantorrillas.

Entonces hicieron su aparición los jeans, y con ellos la primera prenda de vestir unisex. La palabra había saltado a la palestra. En esta sola palabra están toda la doctrina y todo el horror de la bipolaridad.

Hoy, ante un suéter cuyo tejido nos gusta, nos atrevemos a preguntar si eso existe para la mujer. Nos responden que es unisex. Unisex, las camisas, las playeras, los calcetines. Si quieres una corbata, elige. Hasta pueden venderte unos pantalones de los excedentes del ejército estadounidense, auténticos pantalones de «GI», con un auténtico cinturón militar, que tienes que apretar un poco fuerte si no quieres encontrarte desnuda al salir por la puerta.

¿Y cómo se puede embutir un cuerpo de mujer en unos jeans unisex? No hay mente humana que lo entienda. Entonces el vendedor te aconseja fríamente que te acuestes para abrochártelos. Es el único medio conocido para conseguir que penetre el pantalón en una pelvis que no da crédito a lo que le están haciendo.

Acuérdate de las resistencias femeninas al primer traje que Chanel se atrevió a crear. Y entonces solo era el equivalente del traje masculino. En aquellos tiempos tenía todavía una falda. Hoy es el prototipo de lo que se hace más clásico para la mujer. Diviértete preguntando a una mujer joven por qué se gusta en pantalón. No te responderá con la única razón verdadera, lógica y evidente: imitar al hombre. Seguirá la consigna y te recitará la respuesta al uso: porque es bonito y, sobre todo, porque es práctico. Pero, si de verdad es tan bonito, ¿por qué haber esperado hasta el final de la Segunda Guerra Mundial? ¿Y qué tiene que sea tan práctico? Se tarda el doble en ponérselo. Nunca es fácil decir las verdades.

Los hombros

Sería maravilloso poseer una goma milagrosa que pudiera borrar de un solo golpe esos fantásticos hombros masculinos que infunden tanto respeto. No existe todavía, pero se puede hacer algo mejor, se puede decir que han pasado de moda.

¿Dónde están nuestros magníficos tarzanes, nuestros hombros de antaño? ¿Hay algo más pasado de moda que un culturista? Ni siquiera los salvavidas se atreven ya a alardear de ellos. Todos relegados a las ferias, los circos y las playas populares.

La moda ha causado estragos y las hombreras masculinas han desaparecido. Hoy son los diseñadores femeninos los que se apoderan de ellas. ¿Te acuerdas de las colecciones de Thierry Mugler y de sus prendas de cosmonauta para mujeres? ¡No faltaban más que los cascos y las placas de reconocimiento!

El calzado

A la especie humana no le han gustado nunca sus pies. Fueron sin embargo ellos los que soportaron el peso de nuestro enderezamiento y los que nos permitieron olvidar nuestros orígenes simiescos.

Los tacones altos permiten a la mujer acentuar el alargamiento y la esbeltez de su pierna y, al mismo tiempo, acentuar su balanceo haciendo resaltar sus nalgas.

Era demasiado arriesgado. Entonces los redujeron, e incluso se incitó a las mujeres a ocultarlos dentro de unas botas de montar. Conozco a jóvenes secretarias que no dudan en dedicar un tercio de su salario a un par de botas de ese tipo, y, si resulta demasiado oneroso, se les proponen unos zapatos sin tacón, unisex.

Para el hombre, en cambio, es de buen gusto elevar el tacón. Tres, luego cuatro, luego cinco centímetros de sobreelevación. Y si no tuviéramos pelos en las pantorrillas, nos propondrían unos pantalones de golfista.

Las curvas femeninas

Pero es en el territorio más sagrado donde se produjo la mutación más radical de las ideas y de los gustos, la más vehemente y la más enconada que existe.

La redondez es un todo que simboliza por sí solo la feminidad en lo que tiene de carácter más sexual. Las curvas son el símbolo, pero son también el desencadenante, la llave de contacto de todo lo que puede despertar la libido de un hombre. No importa las veces que tenga que repetirlo: los hombres las prefieren con curvas, no las gordas, no las pesadas, sino aquellas cuya bella redondez flexible se ve, se toca, y cuya elasticidad resiste a la presión de los dedos y a la intensidad de la mirada.

La única prueba que necesito es la violencia de la reacción. Las ideologías y la cultura, reductoras de diferencias, han lanzado a la batalla a sus mejores tropas, sus más abultados presupuestos publicitarios, su campaña de intoxicación más larga y más encarnizada.

Si las curvas tuvieran poca importancia, el esfuerzo habría sido más modesto y el martilleo menos ensordecedor. Si se ha atacado con tanta fuerza y se ha llegado tan lejos, es porque la redondez era el plato fuerte. Había que decapitarla, reiterar que estaba pasada de moda, retirarle el favor, volverla vergonzosa. Si no, la batalla estaba perdida.

Y lo han hecho tan bien que ahora hay que ser una desvergonzada, una «chica perdida» para atreverse a usar una prenda ajustada que muestre las caderas y los muslos.

Se inventó la celulitis para todo el mundo, las odiosas chaparreras para el menor atisbo de redondez. También los hombres, programados hasta la médula para reaccionar ante su primera señal, están dudosos, inseguros. No saben ya qué pensar de un mensaje tan contradictorio. El instinto los empuja hacia delante, y la cultura los hace retroceder. Si diriges una mirada furtiva a un contorno pélvico, la mujer se pone de perfil para quitarle su significación y su expresión. Si quieres ver más de cerca, se apagan las luces. Si pones la mano, provocas una comezón. La brújula no indica el norte, sino el sur. Existe un gran peligro de perder definitivamente el camino.

Pero una batalla perdida no determina la suerte de la guerra. La cultura es fruto de una sociedad, o incluso de una civilización. Por muy sólida que sea la ideología que la sustenta, nunca es más que el producto de la «computadora» humana, y, como tal, puede y debe usarse.

Lo que perdura, lo que se dobla pero no se rompe, es la naturaleza humana. Sé, porque me gustan los libros de historia, que ninguna cultura ha resistido durante mucho tiempo a nuestra programación y a nuestro atavismo. Se ha querido hacer el experimento de borrar las diferencias sexuales y se ha logrado en parte, pero mientras exista sobre la tierra una sola madre para educar a su hija, para que esta se convierta en una verdadera mujer, no tendré razones definitivas para desesperar.

En la tercera parte del libro aportaré mi modesta contribución a este esfuerzo de recuperación de los valores en que se sustenta la feminidad. Las consignas son ya menos furiosas.

La libertad sexual

Antes de terminar con la ideología responsable a fondo del tabú de las curvas me gustaría examinar rápidamente el estado de la sexualidad y ver cómo se resiste a nuestra sociedad de consumo.

Se han reducido las diferencias que antaño caracterizaban tan bien a los sexos. Indiscutiblemente, los hombres son menos viriles y las mujeres, menos femeninas. Las señales emitidas por los dos polos son menos fuertes. ¿Qué consecuencias ha acarreado todo esto y cómo reacciona nuestra sexualidad ante tales distorsiones?

¿Quién no ha visto una pista de baile moderna? No se baila ya cara a cara, sino en grupo. La gente entra en un magma informe y se mueve siguiendo el ritmo común. Al bailar pegados es el único momento en que es posible sentirse, tocarse y transmitir el mensaje de la presexualidad. Hoy, en una discoteca de moda, el bailar pegados ya no se usa, y se esperan en vano esos pocos minutos de verdad.

¿Dónde están los tangos cuerpo a cuerpo, las polcas en las que las manos permanecían imperativamente pegadas a las caderas? Pasaron de moda. Un solo compás de estos dos bailes llevaría a la quiebra al más exclusivo de estos locales. ¿No es esto un signo formal del distanciamiento sexual?

Y sin embargo, paralelamente se promueve la libertad sexual más total y el público la reclama. El porno tiene sus adeptos, pero la oferta televisiva ya no los tiene. ¿Qué hacemos con toda esta libertad? Estoy convencido de que la utilizamos, pero no estoy seguro de que sea con fines útiles.

Dediqué ya un párrafo al papel de lo sexual en el establecimiento del vínculo duradero entre un hombre y una mujer. Para que ese vínculo pueda establecerse, hace falta una atracción sexual. La naturaleza había programado unas reglas de juego, con sus desencadenantes, sus emisores, sus receptores. Ya sabes lo que se hizo con ellos. El vínculo empieza mal. El primer instante de magia sostenido por los mensajes biológicos ha perdido su eficacia. Además, cada parte de la pareja sabe que hay una multitud de candidatos en el sexo opuesto. Quien haya puesto el ojo por equivocación sobre una pareja única continúa dando vueltas sobre competidores disponibles y liberados sexualmente.

Incubar durante demasiado tiempo un deseo es correr el riesgo de ver cómo se eclipsa. Entonces se sacrifica el tiempo de exposición y la fotografía sale borrosa, el cemento no agarró y el vínculo es flojo. Esto es lo que explica la actual dificultad de la sacralización sobre la cual debe apoyarse una pareja que empieza.

No quiero entrar en un estudio sociológico de la pareja. Pero lo sagrado encuentra su origen en el desfase que existe entre lo que dicen nuestros instintos y lo que dice nuestra razón. Cuando nuestros instintos hablan y nuestra razón no los comprende, se habla de magia, de mitología y de irracionalidad, y todo esto conduce a lo sagrado, y del vínculo sexual al amor no hay más que un paso que nos explicamos mal.

Tanto en una mirada profunda como en la emoción que desencadena en nosotros, en las señales que emanan de un cuerpo con una energía que nos empuja a poseerlo, no hay más que fuerzas naturales en acción. Querer negarlo es tener miedo de las palabras, y eso no impide que nuestra naturaleza profunda se burle de ello y continúe haciendo nuestro bien a pesar de nosotros.

Puede que no esté bien visto, pero eso no impide que cuando un hombre pone la mano o la vista encima, la naturaleza continúe actuando. Con más dificultad tal vez, dudando, a regañadientes, pero creo, y espero, que con bastante eficacia para que el amor siga existiendo.

La homosexualidad es una de las contadas pruebas de fracaso de la naturaleza. Cuando es total y definitiva, detiene el eslabón que la une a la larga cadena que se remonta a la noche de los tiempos. En sí misma ya no es un mal, en un mundo que está superpoblado, pero es un síntoma, una falla. Debe haber existido en todas las épocas, pues tiene un soporte biológico, pero cuando alcanza una frecuencia demasiado elevada (el treinta y siete por ciento de los hombres estadounidenses han tenido un orgasmo homosexual en su vida), revela sin duda una incitación cultural.

Personalmente, veo en este piloto luminoso que parpadea un síntoma adicional de la pérdida de la bipolaridad sexual.

Si los sexos no están ya tan contrastados acaban pareciéndose, y, para ciertas personalidades dubitativas, de ahí a la inversión no hay más que un camino muy corto.

La homosexualidad es un estado de hecho que no exige ser juzgado y menos aún combatido. Pero puede ayudarnos a comprender mejor nuestros errores y los peligros que conlleva señalizar mal nuestros vehículos. Así, para evitar todo riesgo inesperado de choque, es deseable elevar nuestros techos todo lo alto que sea posible y mostrar nuestras placas sin ninguna ambigüedad.

La mujer que quiere ser reconocida como tal debe mostrar sus curvas con orgullo, sin ocultarlas. Debe dejar que viva y que pueda ser olido su perfume natural, y dejar que hablen su voz y sus manos. Su cuerpo grácil y pequeño hará el resto. Le pronostico un futuro feliz.

¿Por qué Francia?

Hasta ahora, cuando hablaba de sociedad de consumo y de feminismo, enfocaba estos aspectos a escala de la civilización occidental.

Sin embargo, es en el mundo anglosajón y no europeo donde esta ideología funciona mejor. La mujer y el consumo son allí aún más libres que en Francia.

El tabú de las curvas existe también en sus sociedades, pero después de haber observado sus diferentes culturas, llegué a una triste conclusión que he de confesar: Francia posee el récord de la alergia a la redondez, y nuestras consignas y nuestros dictados son los más rigurosos y los menos flexibles. La mujer francesa es la más empeñada en la carrera de la delgadez, y es ella la que más sufre por sus curvas.

¿Por qué estamos a la vanguardia de semejante combate? ¿Cómo, después de haber inscrito el «amor a la francesa» y «la mujer francesa» en los arquetipos universales, aceptaremos simbolizar la desencarnación y el adelgazamiento de las formas?

La razón es doble. El objetivo básico de la ideología actual era transformar a la mujer en consumidora. En los países anglosajones no hubo una gran resistencia, y muy pronto la mujer se puso a trabajar. Pero Francia es un país latino, donde estamos mejor armados para resistir, y por eso la ideología, para triunfar, tuvo que preparar sus armas más perversas y más maquiavélicas.

La mujer estadounidense se rindió sin combatir, pero la mujer francesa no estaba lo bastante trabajada. Todavía, naturalmente era demasiado mujer. Había que limarle las uñas y penalizar todos sus encantos. Como nuestras mujeres eran las más femeninas del mundo, fueron las más castigadas.

La redondez asociada a otros signos y condimentada con encanto y elegancia, adornaba a la francesa de antes de la guerra. Hoy, después de la tormenta, le queda cierta aura, pero su redondez ha naufragado, y los grandes cineastas internacionales no se apresuran ya a venir a reclutar en Francia a sus mejores *sex-symbols*.

La segunda razón se debe al hecho de que desde hace mucho tiempo París es el punto de partida de la moda occidental, y nuestra estrella ha brillado con un resplandor especial entre 1930 y 1965. Por ello, éramos los primeros afectados y los más expuestos a la consigna contra las curvas. En el corazón del emisor, hemos sido los mejor servidos, y, como todos los buenos guías, seguimos estando a la cabeza.

¿Por qué se acepta la consigna?

Acabo de explicar quién daba, en profundidad, la consigna. La sociedad de consumo, para poner a trabajar a nuestras mujeres, tuvo que resignarse a concederles nuevos derechos. El feminismo tenía al principio una noble intención, la de luchar contra las desigualdades entre los sexos, pero en la vehemencia de su militancia y los éxitos de su planteamiento, incorporó las diferencias a su programa. Desde entonces no se trató ya simplemente de ser iguales, sino idénticos. Todo el malentendido vino de ahí, y las curvas, que son una de las más bellas diferencias sexuales, sufrieron la suerte que ya conocemos.

Sabemos, pues, cómo y por qué se dieron las consignas. Pero ¿por qué las seguimos sin espíritu crítico? ¿Y por qué nuestras mujeres son manipuladas con tanta eficacia?

También en este caso recurriré a la biología, pues resulta difícil encontrar un territorio del comportamiento humano que no se ilumine súbitamente a la luz de sus descubrimientos.

Sabemos que, antes incluso de ser hombres, éramos ya, y desde mucho antes, monos sociales. Es decir, vivíamos en grupos compuestos por entre quince y treinta individuos.

En el seno de estos grupos existía una jerarquía relativamente estricta. Este sentido de la jerarquía se encuentra en todos los primates que viven actualmente, incluido el hombre. Esto significa que en cada comunidad destaca un mono alfa que es el macho dominante: es el equivalente al jefe, y después, debajo de él, está el número dos y así sucesivamente hasta el más débil de todos los adolescentes, que es el mono omega.

La fuerza física es uno de los elementos que permiten la dominación, pero no es, ni mucho menos, el único. Lo que entra en juego tiene que ver más bien con la agresividad, la energía y sobre todo la seguridad. El macho alfa es el que más las impondrá sobre los demás. La jerarquía se fija muy pronto. Tienen lugar algunos combates para desempatar a rivales de seguridad similar, pero, una vez establecida, no se le vuelve a poner en entredicho. Y el orden se instala definitivamente en el seno del grupo.

Hemos conservado en nuestras viejas estructuras arcaicas un eco de nuestro pasado primate, y hoy sentimos con la misma intensidad la posición segura de un líder.

Además, debemos a esos mismos lazos biológicos lo que denominamos con un término ciertamente peyorativo: el instinto gregario. La obsesión por la soledad es un componente profundamente humano. Se ha llegado a decir que un chimpancé aislado no es ya un chimpancé. En todo caso, tiene asegurado que no vivirá mucho tiempo.

Un hombre solo podrá vivir, pero su existencia será la de un marginado y no podrá alcanzar la plenitud de sus potencialidades y sus recursos. Las estadísticas de las compañías de seguros estadounidenses son rotundas: un soltero tiene una esperanza de vida más corta y es en él donde se encuentran las tasas de suicidio más elevadas.

Este gregarismo tiene en la biología del comportamiento un nombre más significativo, que es el sentido de pertenencia al grupo. Es una fuerza de cohesión extraordinariamente tenaz, que puede superar en ciertas ocasiones los instintos más profundos. Todos los soldados estadounidenses que cayeron prisioneros y que fueron doblegados por medio de lavados de cerebro durante la guerra de Vietnam fueron torturados en este sentido y en el aislamiento más absoluto.

Es este sentimiento profundo de ser una partícula de un todo lo que nos empuja a aceptar ciegamente las consignas que proceden de ese todo. Y ahí interviene lo que llamaré de manera esquemática la regla del cincuenta por ciento.

Cuando una bandada de grajillas, aves migratorias, se posa en uno de los parajes que marcan su recorrido para pasar la noche, su cohesión está intacta. Las aves se dispersan entonces y escogen un territorio. Por la mañana, muy temprano, en cuanto amanece, se pueden oír señales muy precisas y gritos especiales de que una parte del grupo está lista para partir. Las aves se arremolinan en el aire y parecen llamar a los otros miembros del grupo.

Pero eso no es suficiente. Las aves que tienen más prisa intentan algunas salidas en falso. El verdadero despegue tendrá lugar cuando más de la mitad de las grajillas participe en él; es la regla del cincuenta por ciento la que hace que la balanza se incline hacia el lado que más pesa.

Pero es curioso observar que su concepción de la mayoría no es tan democrática como parece. Hay aves cuya posición jerárquica es tal que su voz domina a muchas otras. Si el macho dominante y los miembros más resueltos de la bandada están ya en el aire, entonces no es necesario contar con una mayoría numérica. Su sola presencia ejerce una gran influencia en la decisión final.

Entre nosotros sucede algo parecido con la penetración de las consignas, los gustos y la cultura en general. Se ha llegado a decir que una teoría comenzaba siempre en la herejía y terminaba en la ortodoxia.

Cuando una moda surge, a menudo es cosa de un pequeño grupo de vanguardistas o de excéntricos. El grueso de la sociedad no los sigue, considera con cierto desdén esas manifestaciones de originalidad. Pero si, progresivamente, esa moda o esa idea gana adeptos, el grueso de la manada se hace preguntas y la idea deja de considerarse una herejía. Es entonces cuando interviene el papel de los líderes. En todas las sociedades existen personajes influyentes o carismáticos e individuos que tienen un impacto social reconocido. Son ellos quienes tomarán la decisión y quienes permitirán que la moda se vuelva ortodoxa.

A partir de ese momento se abatirá como un auténtico maremoto que romperá sobre todos los demás, y nadie querrá ser olvidado. Es el momento en que el sentido de pertenencia al grupo es más intenso, y en el que toda crítica se desvanece.

Me acuerdo de la aparición de la moda de la minifalda en Francia. Llegada de Inglaterra, donde causaba estragos, se le profetizó entre nosotros una existencia muy breve, aunque algunas excéntricas lucían unos muslos y unas piernas magníficos. Pero hubo que esperar a que ciertas mujeres influyentes participaran en ello y arrastraran a la mayoría en su estela para que todas las mujeres se lanzaran a cuerpo perdido. Y cuando hablo de cuerpo perdido pienso en las que tenían todo que perder. Si el ridículo no ha matado nunca, fue sin duda en esta época. Ninguna inhibición impedía que monstruos de piernitas rechonchas y pesadas se plegaran a una consigna tan suicida.

Lo mismo sucedió con el tabú de las curvas, y las resistencias de entonces están ahora bien olvidadas, pero había que movilizar a un número impresionante de modelos prestigiosas para arrastrar a las masas.

Twiggy fue probablemente una de ellas, pero el martilleo incesante de los medios de comunicación, la participación de los diseñadores más famosos, la aportación de los publicistas más experimentados, algunos grandes nombres del arte contemporáneo figurativo y el torbellino del *prêt-à-porter* unánime tuvieron un peso inmenso.

Considero a todas estas fuerzas como las difusoras de la consigna, y es a ellas a las que voy a dedicarme ahora.

¿Quién difunde las consignas? Los líderes de la moda

Vivimos en una época en la que una moda no puede existir solo para el placer de ciertos salones, como podía ser el caso en los tiempos de Balzac o Stendhal.

Hoy la cultura se ha mundializado, es occidental y, cuando a una bella estadounidense le da por preferir las trenzas africanas, Occidente entero se sienta ante su espejo para hacer otro tanto.

La difusión de los medios de comunicación es tal que, cuando Sharon Tate fue asesinada en Beverley Hills, el mundo entero se puso de luto. Si eso está bien o está mal no es asunto mío; lo que me interesa es cómo una moda puede difundirse tan deprisa, a través de qué, y quiénes son sus principales responsables. Y cuando hablo de una moda, estoy pensando en esa por la que he escrito este libro: el tabú de las curvas.

La redondez estaba en el corazón del hombre, y una consigna impuesta por una necesidad económica había decidido otra cosa. La reina madre recurrió a sus barones y les confió el cuidado de determinar la suerte de esta favorita.

¿Quiénes son esos barones exterminadores que se atrevieron a cometer sin ningún cuestionamiento ese crimen de lesa naturaleza? Te los presentaré en un orden que tendrá en cuenta la importancia de sus responsabilidades, porque, si bien es cierto que hay auténticos responsables, hay más seguidores, poco contestatarios, pero todos desempeñaron su papel en la difusión de la consigna.

Los responsables número 1: los grandes diseñadores

Sería interesante repasar la historia de la invasión de la delgadez a través de las colecciones anuales de los grandes diseñadores. Pero eso llevaría demasiado tiempo y sobrepasaría la pretensión de este libro. Lo hice para mi placer, y puedo asegurar que con ellos nos encontramos en un territorio de creación artística y entre gentes cuyo oficio es crear cosas nuevas.

Su papel es el de proponer diferentes modelos de arquetipos que la cultura reinante va a seleccionar.

Cuando las curvas cumplieron su tiempo y, cansados de vestir cuerpos de abeja, los diseñadores se orientaron hacia patrones más rectilíneos, todo el plan de campaña del imperativo económico y del feminismo estaba ya determinado. No hubo más que sacar lo que era nuevo para orientar la opinión en la dirección deseada.

Podría pensarse que la responsabilidad de los diseñadores es limitada y que, en resumidas cuentas, solo hacían su trabajo.

Pero sería difícil olvidar el brillo especial y la atmósfera que prevalecen en estas esferas creadoras.

En toda la alta costura la homosexualidad está representada con una tasa suficientemente elevada, desde el punto de vista estadístico, para que la tomemos en consideración. Cierto número de nuestros más prestigiosos creadores tienen un perfil psicológico y unos gustos que están en estrecha correlación con sus hábitos sexuales. Están en su perfecto derecho, pero a nosotros nos corresponde tenerlo en cuenta en el análisis de su creación y de las motivaciones de sus sugerencias.

La homosexualidad confiere probablemente un sentido agudo e intuitivo de lo que puede ser armonioso para la mujer, y no es casualidad que encontremos tan a menudo a sus adeptos en los medios profesionales, en los que se ocupan de la belleza, de la decoración artística y de la peluquería. Su número relativo demuestra sin embargo que no son los únicos que poseen este monopolio.

Pero, por muy desarrollados que estén su refinamiento y su interés por la elegancia, inevitablemente, debían sentir inclinación por arquetipos de cuerpos femeninos menos contrastados y más androides.

Las curvas, no lo olvidemos, son una señal biológica eminentemente sexualizada que será percibida con el máximo de eficacia por el receptor masculino, y no temo afirmar que *cuanto más viril es un hombre, más sensibilizado está a las curvas*. Es pues altamente previsible que en ciertos medios homosexuales de la creación de moda pudiera no sentirse con tal intensidad semejante mensaje. Estaba en el orden de las cosas, y es lo que ocurrió.

Por otro lado, y de manera inconsciente, sintieron la tentación de escoger sus modelos entre mujeres cuyo cuerpo tenía que ser lo bastante plano para poder ser olvidado y esfumarse modestamente bajo el modelo presentado.

Pero la mujer francesa es latina, posee formas y estadísticamente es muy difícil encontrar entre nosotros mujeres muy grandes, sin curvas, sin pecho, de caderas estrechas, de muslos rectilíneos y de rostro angelical. Para asegurarse de ello basta consultar los archivos de las principales agencias de modelos parisienses.

Se recurrió entonces a extranjeras, y de manera muy especial a suecas y a negras del África oriental. Estos dos tipos étnicos proporcionan sin reparos esos cuerpos secos y rectilíneos cuya feminidad parece haberse refugiado en la pureza del rostro.

Si estos cuerpos han sido escogidos de manera consciente, pienso que es en parte para satisfacer cierta concepción androide y de delgadez extrema del cuerpo de la mujer. Esta nueva morfología se encuentra, en términos biológicos, a medio camino entre la curva femenina y la angulación masculina. Pero esta razón, por muy pertinente que pueda parecernos, solo contiene una parte de la verdad.

La segunda razón es quizás aún más fundamental y se sitúa en el estrellato y la mitología que rodean a esos que se han hecho famosos gracias a la extrema difusión de las modas.

Desde el final de la Segunda Guerra Mundial se ha producido una mutación profunda en la concepción creadora de los grandes diseñadores. *Antes de ellos, se creaban prendas de vestir para la mujer. Con ellos se crearán mujeres para las prendas de vestir*. Esto puede parecer paradójico, pero es la conclusión que he sacado siguiendo la evolución de sus colecciones. Todas las modas de antes de la guerra tenían en cuenta el cuerpo de la mujer y concebían los nuevos prototipos en función de sus formas naturales. Era la piedra preciosa a la que convenía hacer un bello engarzado y un estuche que la realzara. Pero la piedra, como el cuerpo de la mujer, seguía siendo el centro de todas las preocupaciones.

Después todo cambió, y de manera radical. Estamos exactamente en el lado opuesto de la concepción de inicio. Estos príncipes de la creación, a quienes los focos de la celebridad han debido deslumbrar, no se contentan ya con un trabajo tan utilitario y prosaico. Vestir a la mujer les parece trivial y prefieren el estatus de artista de pleno derecho.

Todo esto para decir que la nueva prenda de vestir concebida de ese modo será para ellos un objeto de arte independiente de su función. En la década de 1950, las colecciones anuales eran seguidas por las mujeres más bellas y más ricas del mundo, que no dudaban en pagar un precio astronómico para ser las únicas en poder vestir el prototipo, el ejemplar único. De este modo, en el pensamiento profundo de los nuevos creadores, la mujer perdía su importancia. No era ya la piedra preciosa, no era ni siquiera el engarce, y ni siquiera el estuche, era un soporte que debía ser discreto, sin ninguna personalidad, móvil y flexible para las necesidades de la presentación pero sin ninguna forma. Toda la belleza debía provenir del objeto presentado, y la menor irrupción de personalidad o de feminidad hacía un poco de sombra a sus obras maestras.

Fue probablemente así como las curvas quedaron fuera de la ley. Hay en este planteamiento un desdén fundamental por la mujer que raya en la misoginia.

Si, como se dice, Dios creó a la mujer, creó también sus formas, y las curvas salieron de su mano. Rechazarlas es simple y llanamente blasfemo, y ni siquiera cuando es presa de la mayor de las vanidades un creador humano puede rivalizar con la naturaleza. Vaciar a la mujer de su belleza, de su sustancia, de su sexo, para atribuirse la gloria y el mérito de una creación propia se explica, pues, en parte por el vértigo de los honores y de la celebridad, y todo ello se exacerba en la atmósfera homosexual de los medios de la alta costura.

El hombre y la mujer solo son las dos mitades complementarias de la creación natural. Son solidarios, y la belleza de uno es el motor del otro.

Se puede jugar hasta el infinito con la armonía entre un cuerpo y lo que lo viste, pero guardando bien en la memoria que en este dúo solo la tela puede saborear las tijeras. Querer influir en el cuerpo de la mujer, llevado por la vanidad del creador o por una señalización sexual concreta, es excederse en sus funciones, es pecar de orgullo, y es también confundir oscuramente la parte y el todo.

Los periodistas

En la búsqueda de los responsables de la difusión de las consignas contra las curvas no podemos dejar de hablar de la enorme caja de resonancia que representan los medios de comunicación.

El problema que se nos plantea entonces es enorme. Se trata de saber si el periodista es un simple observador o si interviene en la transmisión del mensaje. E, incluso más sencillo, de saber si es un filtro activo o pasivo.

Otra cuestión, aún más interesante, es saber si el periodista debe aportar a su lector el tipo de información que desea, o si su función no es más bien despertar en él la curiosidad por un nuevo tipo de información.

En dos palabras, si debe servirle sus platos favoritos o si debe darle el gusto de alimentos desconocidos.

La responsabilidad será diferente según la respuesta. Por mi parte, ante esta alternativa, me inclinaría por la segunda respuesta, por dos razones:

En primer lugar, es extremadamente difícil eliminar toda subjetividad de su discurso. Desde el instante en que se toma la pluma, hay que esperar más o menos conscientemente sentirse involucrado. El simple tono con el que se da una noticia puede invertir el valor del mensaje. Por otra parte, supone un gran menosprecio ser un simple filtro pasivo y alimentar sin sorpresa incluso al más ávido de los lectores. Hay en el papel de la prensa una explosiva dimensión educativa ligada al número de lectores potenciales.

Todo esto para decir que los periodistas son responsables en parte de lo que han transmitido.

¿Cuáles son entonces aquellos a quienes su posición confiere más impacto? Sin duda alguna, los periodistas de las revistas femeninas. Hay, en Francia, una buena decena de revistas influyentes que martillean desde hace quince años las consignas contra las curvas. Y, desde entonces, no ha habido ni un solo responsable que haya lanzado una nota discordante en este concierto de voces unánimes.

Leo a menudo esas publicaciones, pues yo también me enfrento a los problemas que afectan a las mujeres, las respuestas que se les dan me interesan, y a veces me sucede, ante mi gran sorpresa, que encuentro un artículo en el que el periodista, aburrido de repetir indefinidamente el mismo discurso, se detiene un instante, sin aliento, y plantea algunas dudas sobre la cultura ortodoxa que reina en la prensa francesa. ¿Las mujeres no podrían liberarse por un instante de la presión y dejar de mirar con ansiedad hacia la báscula o la talla? La intención es loable pero el tono no es convincente. Se percibe que la censura pesa sobre su cabeza. ¿Se va a hablar por fin de esta metida de pata que pondría un poco de chispa en las lecturas monótonas? *¿Se dirá con franqueza que no basta con asumir las curvas sino que conviene amarlas?* No, el mensaje confusamente esperado por todas estas mujeres no llega. Sin embargo, la interrogación, la simple duda eran loables. Entonces sigues leyendo y pasando las páginas de este semanario y das con las eternas modelos consumidas, despersonalizadas y siniestras, que apagan para siempre el resplandor de esperanza que se entreveía.

Los casos más paradójicos están representados por las llamadas revistas masculinas. Una parte de la publicación está dedicada a fotografías de desnudos, que hablan el único lenguaje que agrada a los hombres, y puedes ver en ellas a verdaderas mujeres, llenas de savia, talladas en la redondez, con caderas y muslos que dicen mucho de su poder de atracción. El hecho de estar desnudas no las vuelve más apetecibles; vestidas causarían el mismo efecto. Cuando se es redondo eso se siente. Y en este mismo tipo de revistas algunas páginas están dedicadas a la mujer. En ellas se presentan nuevas tendencias de la moda, y de pronto el lenguaje cambia, se habla a las mujeres, y de nuevo partimos hacia las playas del Pacífico en compañía de los mismos ídolos enjutos, que tienen de pecho lo justo que hace falta para no ahogarse.

Creo que el periodismo francés se ha puesto de acuerdo, y que nadie se atreverá a lanzar con vigor y sin reticencias la primera piedra al estanque.

Pero lo que sé también, pues conozco a un gran número de periodistas, es que se espera con impaciencia ese gran momento, una inocente «noche de los cuchillos largos» en la que la guerra se extenderá a la delgadez.

Creo que se repiten en vano palabras sobre las cuales nos hemos entretenido durante tanto tiempo que hemos terminado por caer en la hipnosis, y todo el mundo duerme, salvo las mujeres con curvas que han perdido el sueño.

Otro gran malentendido es el término «celulitis». Que existe, que es antiestética, mal vivida, patológica, todo eso es verdad. Esgrimir la amenaza de los trastornos circulatorios, de las varices, de las estrías, del envejecimiento de la piel, también estoy de acuerdo. Pero el gran error es no definir claramente a quién le afecta. Porque, de cada diez mujeres que leen esos sempiternos artículos que se repiten infaliblemente en primavera y en verano, estoy convencido de que ocho de ellas se sienten afectadas. Pero es muy probable que solo una mujer de cada cien sufra este tipo de celulitis.

Cuando alguien está sentado tranquilamente en su oficina y escribe este tipo de artículos, estoy convencido de que transmite con toda su buena fe un mensaje útil pero, una vez percibido, el mensaje hace daño. Se habla de «piel de naranja», y cientos de miles de manos se apresuran a tocarse los muslos con tal intensidad que, en cuanto aparece un pequeño y miserable pliegue se etiqueta al instante como celulitis.

Cuando alguien se encuentra en un extremo de la cadena de la información está demasiado lejos para oír los gritos o los desgarros provocados por este tipo de revelaciones.

Cualquier médico dirá los daños que puede causar la lectura de un diccionario de divulgación médica. Se abre por casualidad y se descubre el síntoma de una enfermedad que mata ineluctablemente en tres meses.

La celulitis es el equivalente del cáncer de la belleza. Crees estar leyendo con total serenidad un buen artículo, y ya estás contaminado. Y solo hablo de periódicos serios. Intento olvidar aquellos en los que se contentan, para llenar las columnas, con divulgar clichés seudomédicos sin fundamento.

Veamos un ejemplo sobrecogedor: el zacate, que se aconseja en todas partes. Voy a hacer al lector una revelación penosa: ejerzo la medicina desde hace treinta años, y durante este periodo no he encontrado ni *una sola mujer* que no estuviera profundamente convencida de que el zacate era útil para su circulación y para hacer desaparecer su celulitis. Sin embargo, esto no solo es falso sino que la verdad es la contraria. Pasar el zacate, sobre todo en seco y de manera repetida, rompe la minirresistencia elástica de la piel, y la irritación crónica generada es causa de varicosidades.

Haz un día la prueba a tu alrededor y pregunta a tus amigas por el papel del zacate, y te quedarás sorprendida al no encontrar a una sola que esté informada.

Y paso por alto el papel dietético del gruyère, que es probablemente uno de los quesos más grasos y más salados que existen.

Y paso por alto la prohibición de beber mientras se come. Y aquí me detengo, pues llegó el momento de recapitular y de concluir. Había un mensaje llegado desde arriba, dictado por nuestra civilización de consumo, y que hablaba del nuevo papel de las mujeres en nuestra sociedad. Su contenido era claro: nuestras mujeres debían trabajar para crear un segundo poder adquisitivo. En compensación, se les concedería una revisión de las desigualdades sexuales. El mensaje fue adulterado por el feminismo militante, que, pasando de la desigualdad a la diferencia, ha luchado por lo unisex. Considero que las curvas perdieron el derecho de ciudadanía ese día.

Y pienso que el periodismo femenino no ha interceptado como es debido este final de mensaje inútil y peligroso.

Prêt-à-porter *y estilismo*

Con el *prêt-à-porter* llegamos casi al final de la cadena de transmisión de la consigna. La iniciativa puede parecer reducida y la responsabilidad, limitada; sin embargo, resulta que al atravesar este nivel, el mensaje se enriquece con una dimensión que agrava su significado.

Si se observan de cerca las variaciones de la moda indumentaria y se busca un hilo conductor a través de todo lo que el *prêt-à-porter* produce cada año, se descubren dos influencias superpuestas.

En la cima de la creación están los tiranos dictatoriales, los grandes diseñadores, que crean al margen de las contingencias materiales. Es la concepción refinada del arte por el arte y del estrellato. Determina las grandes orientaciones. Es lo que los creativos llaman la tendencia. Nadie discute estos edictos que constituyen el eje de la moda. Serán las mallas ajustadas o la prenda suelta, la sencillez o el barroquismo. Están en lo general y no se ocupan de los detalles.

En la cadena de transmisión entre la alta costura y el público se encuentran los creativos, cuya independencia está coartada por los imperativos económicos de los fabricantes. La ambigüedad está ahí. El *prêt-à-porter* está invadido por dos motivaciones que lo impulsan en dos direcciones opuestas.

Los estilistas de sensibilidad creadora se sienten espontáneamente atraídos por lo nuevo. Cada uno espera alumbrar su pequeño milagro. Pero los industriales tiran por otro lado; su imperativo es vender. La aventura no es su negocio, y su único sueño es subirse, si es posible entre los primeros, al tren que está en marcha. Sin embargo son lo bastante lúcidos para comprender que la inmovilidad es un factor de retroceso.

Entonces asistimos a esas pequeñas variaciones en forma de dientes de sierra que son intentos, simples innovaciones, globos meteorológicos para poner a prueba las reacciones del público. Es la técnica de los pequeños pasos de Pulgarcito que tiene miedo de perderse; las botas de siete leguas son las de los grandes diseñadores que enseñan la dirección.

Estas variaciones menores tratan de los detalles, de los colores o de las materias. Pero estas ligeras modificaciones, habitualmente vacilantes y prudentes, pueden caer sobre una mina y explotar. A veces basta con esbozar el primer detalle de una nueva tendencia para notar una enorme demanda. Estás pescando sardinas y al final del anzuelo viene a engancharse un mero.

Entonces, y solo en este tipo de circunstancias, se puede tomar la medida de semejante industria, y el mercado se ve inundado con una velocidad y una fuerza sorprendentes.

El *prêt-à-porter* se ha hecho acreedor de su responsabilidad en el sentido de que sus creativos no han intentado nunca dar pequeños pasos en dirección a la redondez, cuando era posible y sin duda rentable. La prohibición debió de pesar mucho para paralizar un cuerpo creativo y privarlo de una parte de su clientela potencial.

Pero tiene una responsabilidad mucho más seria. No contento con excluir a las mujeres con curvas, se ha permitido torturarlas con refinamiento jugando hábilmente con las tallas, los modelos y el estilo.

En la práctica esto significa que hasta la talla 40 puedes vestirte aprovechando innovaciones para las cuales la publicidad y la respuesta de las revistas te han preparado. Arriba de esa talla no hay nada para ti.

Pero, para poder disfrutar de una talla, tienes que estar constituida como el fabricante lo ha previsto. Eliges una blusa de la talla 38 que te quedaría perfectamente si tu pecho, normal pero redondo, pudiera entrar en ella. Para poder meterlo, haría falta una 42, pero lo demás te quedaría grande. Aquí también viene a sumarse una nueva frustración.

Finalmente, el último agravio es la segregación muy mal llevada entre las mujeres que tienen derecho a la moda y a la fantasía y las que se quedan estacionadas en lo clásico, lo común y lo triste.

Pero esto es sin duda lo que pasa. Si quieres estar a la moda, tu cuerpo tiene que ser lo bastante plano y poco contrastado, pues de lo contrario el modelo no te quedará bien. El hermoso pecho, las caderas y los muslos muy femeninos te cierran definitivamente el camino del pantalón, de las blusas ajustadas e incluso de las camisetas que parecen tan alegres en las demás. A estas mujeres con curvas no les queda mucho de donde elegir. Tiene que ser lo clásico o lo vulgar. En nuestros días, una chica que tenga *sex-appeal* está condenada a usar faldas abiertas de leopardo, o a vestirse como una abuela. Es el castigo más severo que se ha inventado a lo largo de la cadena de transmisión del tabú de las curvas.

Se trata en este caso de un exceso de celo que ni siquiera era necesario. Permite quizás incitar y comerciar más con las afortunadas que forman parte del «club de las delgadas», pero aumenta aún más de manera inútil las frustraciones de las que tienen curvas.

El cine

Si he situado el cine entre los gremios que nos han condicionado pacientemente al gusto artificial de la delgadez es con el único fin de mostrar hasta qué punto su caso es ejemplar.

En efecto, el séptimo arte habría podido, y probablemente con más talento que cualquiera, explayarse sobre este tema y modelar a los ídolos en función de los arquetipos actuales. Sin embargo, ha sabido conservar su independencia y en esto ha dado prueba de ese espíritu crítico que ha faltado tan cruelmente en otras partes.

Con ese desdén caracterizado hacia el estereotipo femenino desencarnado, ha demostrado que era posible ser a la vez el *enfant terrible* de su siglo y una sólida muralla contra la decadencia.

Sin embargo, hay en su actitud otra razón más pragmática: cuando un cineasta escoge a una mujer, no se equivoca de blanco y la escoge en función de su público masculino; es por esta razón por la que considero al cine como una prueba viviente de lo que digo.

Piensa en la mayoría de las estrellas que hicieron la grandeza del cine moderno desde la última guerra hasta nuestros días y se podrá tener la seguridad de encontrar un *sex-symbol*.

Siempre me acordaré del intenso escalofrío que recorrió la espalda de los hombres del mundo entero cuando Ursula Andress apareció por primera vez en la pantalla saliendo del agua en la primera película de James Bond. Los críticos internacionales reconocieron de inmediato a una *sex-symbol*.

Cuando quince años después surgió Bo Derek, por un instante creímos que la misma mujer volvía a hacer su aparición. Mientras tanto, Raquel Welch había cortado lo que les quedaba de aliento a cien millones de estadounidenses.

Miremos detenidamente a estas tres mujeres. ¿Qué tienen en común con la más grande modelo mitológica de todos los tiempos: Twiggy?

Las tres primeras tienen como función esencial hablar a los hombres, y no con diálogos sofisticados, sino con armas biológicas: las palabras claves de las curvas y la redondez. Twiggy, por su parte, tenía que hablar a las mujeres, y eso es lo que hizo.

Estas tres estrellas poseen las curvas más expresivas que sea posible imaginar. Se pueden encontrar un poco más grandes, un poco más llenas, pero en lo más profundo del rinencéfalo, el viejo cerebro animal del hombre, si existe una imagen patrón de lo que puede desencadenar una atracción y una emoción inmediatas, escoge uno de estos tres cuerpos, y no te equivocarás mucho.

Puedes hacer que esta misma imagen atraviese el tiempo, despertar a los faraones, convocar a Marco Polo, Casanova o un conserje neoyorquino, y todos presentarán la misma dilatación de pupilas y la misma tentación de extender la mano.

Cuando hablo de curvas, hablo de las formas de esas mujeres, y afirmo que ninguno de estos tres auténticos desencadenantes vivientes tendría la menor posibilidad de trabajar para uno de nuestros grandes diseñadores.

Si hay un escándalo, o una paradoja, está ahí; y una vez más doy las gracias al cine por permitirme utilizar semejante argumento.

Entonces me responderán, con absoluta buena fe, que todas las mujeres aceptarían gustosamente tener semejante cuerpo. Es falso, les gustaría quizás hacer tanto ruido, pero cuando estás condenado al anonimato y te encuentras ante el espejo con este tipo de curvas, la inquietud se reaviva cada vez más. He visto a mujeres que han venido a consulta que, sin tener semejante armonía en las proporciones, poseían, sin embargo, muslos o caderas tan carnosos, y se imaginaban nada menos que celulíticas. Pero el cine no se ha contentado con descubrir a estas tres mujeres. Prácticamente toda actriz que se aprecie, se enorgullece de ser ella misma, revelando con ello no solo el gusto de los hombres, sino sobre todo el hecho de que no es tan frecuente que una mujer posea un cuerpo de efebo griego.

¿Qué queda hoy de este último reducto de la resistencia cultural? Invadido por los prófugos de la «profesión de modelo».

Las mujeres con curvas de ensueño de ayer son relegadas a la sección de las películas X, y este oasis de lucidez y de libertad sufre la misma suerte que las Maldivas, desaparece llevándose sus esplendores.

Conclusión

Algunos de mis lectores pensarán que he ido a buscar muy lejos las causas de una simple moda pasajera, y que los gustos en este terreno se hacen y se deshacen con la desenvoltura y la ingratitud que la historia ya conoce.

Si pensara así, me habría abstenido de escribir este libro y habría esperado de brazos cruzados, contentándome con anunciar la pronta llegada del día D a mis pacientes.

La obsesión dolorosa por la redondez tal como yo la observo cada día en el ejercicio de mi profesión no es sin embargo un síntoma aislado, sino que forma parte de un todo: la reducción de las diferencias entre los sexos, y creo haberlo demostrado suficientemente a lo largo de este capítulo. No se trata de un fenómeno carente de peligro. Cuando lo cultural invade lo natural, cuando una moda afecta a un equilibrio biológico fundamental, no está permitida ninguna duda, la novedad es decadente y amenaza a la civilización. Y, si esta civilización es la única sobre el planeta, es la especie en su totalidad la que está amenazada.

El tabú de las curvas es un mal en sí mismo, pero es también el síntoma de una amenaza más amplia. Para concluir, diré claramente que el progreso ha sido durante mucho tiempo una hipertrofia cultural que nos ha traído la comodidad y la abundancia. Era nuestro ídolo, un becerro de oro moderno. Hoy este tumor benigno presenta signos de proliferación anormal. Lo cultural se vuelve canceroso y amenaza con invadir ciertos territorios de la naturaleza humana.

Cuando se tienen las curvas enfrente, es posible no darse cuenta de la importancia de su papel. Pero, desde arriba, todo se vuelve claro, es el signo mayor del reconocimiento sexual.

La sociedad de consumo occidental quería a nuestras mujeres, y las ha conseguido. Más de una de cada dos trabaja. Para mantenerlas en este nuevo estado en el que solo una muy pequeña élite se siente realizada, hay que seguir drogándola con la comodidad y con la ideología feminista.

«Mismo cerebro, mismo trabajo, el cuerpo seguirá.» Y en efecto, el cuerpo sigue. El hombre se feminiza ligeramente, y la mujer se viriliza lentamente.

La extravagante idea de la delgadez nació en la atmósfera homosexual y del arte por el arte en la alta costura. El mensaje fue repetido por el periodismo femenino, que le hizo recorrer la moda indumentaria y la salud-belleza. Cierto periodismo femenino excesivo es responsable del arquetipo de la delgadez extrema y de la histeria celulítica. El *prêt-à-porter* industrializó la consigna refinando la tortura de las tallas límites, de los modelos exclusivos y de los estilos. Esta imposición recorrió así esta larga cadena de especialistas de la mujer, tomando en cada eslabón un poco más de peso y de autoridad. Cuando la mujer lo recibió, su sentido de pertenencia al grupo fue tan poderoso que todo espíritu crítico fue barrido ante el deseo frenético y a menudo inconsciente de ser «como todo el mundo».

Ahí estamos hoy, y hay sobrados motivos para creer que este largo trabajo de condicionamiento, nada inocente y menos aún fortuito, no sucumbirá de muerte natural.

No albergo la ilusión de una conversión radical de los gustos, ni siquiera ante la constatación de sus perjuicios.

Había que definir el problema, aceptar abrir los ojos a su existencia, encontrarle un soporte biológico. Está hecho.

Ahora lo que hace falta, y es imperativo, es intentar rehacer el camino en sentido inverso, extirpar ideas y gustos lo bastante arraigados para haber desbordado la evidencia.

Ha llegado el momento de reclutar a aquellos cuya sola presencia sienta cátedra y darles la ocasión de ejercer su poder.

Ese será el objetivo de la tercera parte del libro.

TERCERA PARTE

HACIA UNAS NUEVAS CURVAS

Al término de este vistazo biológico, cultural y médico, me hago preguntas a mí mismo para saber si he conseguido hacerme entender.

Para ti y un poco gracias a ti, he logrado aclarar lo que podía haber de confuso en una intuición. Partiendo de mi experiencia médica —una confrontación frecuente con mujeres inútilmente frustradas—, he intentado alzar una modesta voz de alarma. Si hay una idea sobre la que me gustaría haber sido claro y que debes guardar en la memoria es que la redondez no es un poco más o un poco menos de forma. No se trata de un detalle que se escoge en función de donde sopla el viento, de las modas o de las temporadas. Se trata simple y llanamente de un carácter morfológico normal e indispensable. Es una de las cuatro o cinco señales de reconocimiento que expresan la esencia de la feminidad. Esta señal está inscrita en blanco y negro en nuestros cromosomas. Ninguna otra hembra del mundo animal la posee, y es por esta razón por la que es nuestra y por la que debemos aceptarla al igual que nuestro gran cerebro o los dos pies sobre los cuales somos los únicos que nos mantenemos de pie.

Para todo biólogo se trata de una evidencia que se observa. Sin embargo, sea cual sea la disciplina, es difícil desmontar y demostrar una evidencia. Nadie puede explicar plenamente la elección que la naturaleza lleva a cabo al seleccionar tal órgano en vez de tal otro. Las curvas son una de esas elecciones, eso es seguro. ¿Por qué? Probablemente porque eso salta a la vista y da una sensación especial en la yema de los dedos masculinos. Habría podido decidirse mediante manchas de color como en los lagartos, olores como en ciertos mamíferos o sonidos como en ciertas aves. Ha optado por la redondez, y debemos inclinarnos ante ello.

Otra noción tan fundamental es la razón de nuestro rechazo. En primer lugar, hay que admitir sin duda que Occidente abomina actualmente las curvas como si fueran un cuerpo extraño, y eso, hasta sus últimas consecuencias. Si tienes alguna duda a este respecto es que vives en el corazón de una sabana cualquiera, sin radio ni televisión ni revistas femeninas, sin publicidad, y sobre todo sin haber intentado vestirte desde la última guerra mundial. En este caso, e incluso si has tenido la oportunidad de aprender a leer, mi libro no llegará nunca a ti.

En cuanto a las otras, han tenido que optar por una triste elección: no tener por naturaleza curvas, o sufrir. Y si crees que conoces casos intermedios, es que te mintieron.

He intentado que comprendas por qué nuestra civilización de consumo quería borrar las diferencias entre los sexos, las diferencias más patentes, las que no dejan ninguna duda. La delgadez fue concebida al mismo tiempo que el poder adquisitivo de la mujer. Ten tu propia chequera. Divórciate a la orden. Toma tu píldora diaria y deja tus curvas en el clóset para ir a trabajar. Esa es la consigna.

Y si eres de los que me ha seguido hasta el final, estás en tu derecho de responderme que, puesto que se trata de una elección irreversible, ¿qué podemos hacer al respecto? Si esta amputación es parte de un hecho social llegado de tan alto, es inútil oponerse a ella.

Te responderé con este término: contaminación. La sociedad de consumo es contaminante por definición. ¿Es sin embargo ineluctable? ¿No hay en cada toma de conciencia un número más elevado de personas que la rechazan? Y, también en ese caso, en cuanto seamos una mayoría para decir no, seremos nosotros quienes estaremos en posesión de una nueva verdad. Es triste asociar una imagen tan noble como la de «verdad» a la triste ley del número. Pero es así, y por eso intento convencerte.

Sé que el tabú de las curvas causa estragos en todas las mujeres occidentales, pero son las francesas las que han seguido la consigna con la mayor pasión. Estamos quizás más cerca de Dios que de los santos.

Sé también que este libro, sea cual sea su audiencia, no tendrá más que un alcance escaso, pues darle la vuelta a un movimiento de tal magnitud, infiltrado desde hace tanto tiempo en el inconsciente colectivo de las mujeres, exige una contraofensiva a toda regla. Por eso voy a dirigirme a los mismos que han utilizado su influencia para introducir ese dictado en las mentes y voy a pedirles que inclinen de nuevo el fiel de la balanza, pero en el otro sentido.

¿Qué razón tendrán para escucharme?

La primera tiene que ver con el sentido común. Todo se desgasta, y lo cultural y la moda aún más que lo demás. Aun siendo útil, una consigna puede cambiar. Si es inútil, debe evolucionar. Si es peligrosa, tiene que invertirse. Y creo que las mujeres han sufrido lo suficiente para extender un cheque en blanco a quienes irán al encuentro de una liberación que hacen como si rechazaran de antemano. Hay cierto pudor a pedir ayuda, aunque estuviera formulada inconscientemente.

La segunda razón tiene que ver con argumentos lógicos. El fin que perseguía nuestra sociedad de consumo ha sido alcanzado. Hoy, las mujeres trabajan y sufren incluso el desempleo. ¿Para qué dejar entonces que se difunda una consigna que no tiene ya ninguna función? Pero devolver sus curvas a las mujeres no hará que vuelvan atrás. Los hogares desafectados lo estarán por mucho tiempo, entonces, ¿por qué dejarlas que sufran inútilmente? Un nutricionista te dice que sufren, y que eso no se lo confesarán nunca a otros hombres. ¿Por qué no lo creerías?

Así que he decidido remitir algunas cartas abiertas a los responsables que tienen suficiente impacto para dar un giro de 180 grados, o simplemente crear un clima propicio para una mutación natural. A los grandes diseñadores, los medios de comunicación en general, el *prêt-à-porter* y los creativos, les envío una carta abierta simbólica, no remitida, que no abandonará el cuerpo de este libro.

Por último, antes de dirigirme a los gremios, haré un llamado a todo el sexo masculino. Ha demostrado con creces que se mantenía al margen de este fenómeno, aunque el dictado no estaba destinado a él personalmente. Ha sabido con cierta impertinencia dejar que las mujeres se inmolen en el altar del adelgazamiento sabiendo, sin duda, que no morirían por ello, y sobre todo que, más que adelgazar, lo que harían es sufrir.

CARTA ABIERTA A LOS HOMBRES

Como hombres, representan la mitad masculina de su especie. El lenguaje que les propondré será, pues, el del sexo. Pero hay dos maneras de interpretarlo: en su nivel de adultos y en el de los adultos de mañana, es decir, sus hijos.

Hoy, en efecto, son en parte masculinos porque han nacido así, pero son también el fruto de la cultura en la que han crecido durante decenas de años. Hay que saber, pues, no solo lo que piensan de su actual sexualidad, sino también lo que van a infundir a sus hijos, cuyos oídos están abiertos de par en par.

Cuando oyen hablar de curvas, ocurre que se ponen a silbar, y eso hace pensar que no ven en ello más que futilidad. Tienen la misma actitud cuando las mujeres hablan en su presencia de ropa. Las dejan, divertidos, y vuelven a preocupaciones que les parecen más serias.

Pero es ahí donde debo detenerlos. La ropa es quizá una cuestión de gustos, de modas o de temporadas, es quizás una sonaja que conviene dejar a las mujeres, puesto que les pertenece desde la noche de los tiempos. Pero la redondez es un asunto muy distinto. Sin que se dieran cuenta, ese atributo les pertenece. Diré incluso paradójicamente que solo les pertenece a ustedes. Y si la mujer lo lleva con más o menos amargura, no es más que su depositaria. Esta señal forma parte integrante de su retina y de las yemas de sus dedos de hombre. Se puede, con cierta paciencia, dejar que aquellas a las que se ama hablen de ese usufructo, pero nunca permitirles dilapidarlo.

La especie humana, como todas las demás especies, ha sido programada para perdurar gracias a la eterna regla de juego de los dos polos sexuales. Mediante un acuerdo bien establecido, cada polo anuncia su color gracias a algunos signos biológicamente inscritos en la carne. Las curvas no tienen otro sentido ni otra razón de ser. Son probablemente la señal más expresiva y más elocuente. Como tales, son intocables, pero si se quiere, impulsados por veleidades de aprendices de brujo, ir más allá y atentar contra su existencia, esta decisión debe tomarse entre los dos, y sabiendo qué debe esperarse.

Intenten imaginar por un instante las reacciones de su esposa si deciden unilateralmente practicarse en el cuerpo y el rostro una depilación generalizada. Llegaría incluso a pensar que se han excedido en sus derechos. Sin embargo, la redondez pesa más en la balanza que todos sus pelos juntos.

Si desapareciera totalmente, lo que espero que no ocurra en un futuro próximo, su libido se vería amputada de uno de sus más queridos desencadenantes.

Hay probablemente maridos cuyas mujeres carecen de curvas y que podrían asegurarme que su sexualidad se encuentra bien. No tengo razones a priori para dudar de su buena fe. Sin embargo, debo responderles que tal vez funcionan, sin saberlo, como un «motor sobre tres patas» y que su virilidad debe estar bien viva para arreglárselas sin un estímulo tan esencial.

Pero ¿han pensado que lo que está bien "sin" podría estar aún mejor "con"? Y, sobre todo, no olvidemos que el tiempo desgasta el valor de los mensajes procedentes de un cuerpo conocido y frecuentado desde hace años. Para aguantar ante esta erosión es deseable que la mujer no se ampute su mejor medio de despertar el deseo.

Porque aquí tenemos una gran palabra desatendida: «el deseo». Una palabra de la cual se abusa permanentemente y que lleva una vida agitada en nuestro inconsciente. ¡Si supiéramos de qué materiales tan sencillos está hecho!

Todos los machos del reino animal están sujetos a unos mismos criterios y corren hacia sus hembras en función de llamadas a las que obedecen sin comprender.

Para nosotros, humanos de nuca rígida, el simple hecho de comprender no cambia nada en el asunto. Comprendemos, pero acudimos con la misma diligencia. Solo nuestra vanidad de pensadores nos deja creer que podríamos escapar a una ley propia de la vida misma.

La biología, por muy pragmática que pueda parecer, alberga una ética de dimensión universal. Nos enseña que el amor es hijo del deseo y que el lazo que une a una pareja es en esencia exclusivamente sexual. En este fin de siglo, en el que todo parece permitido, podría entrañar un gran peligro olvidarlo.

Así, mi mensaje a los hombres será simple y claro. Las mujeres han dado su brazo a torcer ante un imperativo cultural. En esta retirada corren el riesgo de perder una parte de sí mismas a la que tenemos derecho. Debemos contrarrestar, tomando en serio, esta amenaza aparentemente leve.

Lo que parece no ser más que un juego de sociedad erosiona con hipocresía nuestra sexualidad. Y nuestros hijos, que juegan con total inocencia antes incluso de la pubertad, con nuestras básculas y nuestros centímetros, se programan para los mismos errores.

Si prefieren las curvas, es el momento de decirlo y de forma inequívoca.

CARTA ABIERTA A LOS GRANDES DISEÑADORES

A modo de preámbulo a esta carta, me gustaría dirigir su atención a un punto del análisis que les concernía en un capítulo anterior.

He hablado del clima de homosexualidad reinante en ciertos medios de la alta costura.

Es una constatación sociológica y estadística pura y simple, pero sobre todo no es un juicio de valor. Un médico, o un biólogo, no está especialmente cualificado para decidir lo que es bueno o malo en un tipo de comportamiento, pero, como cualquier otra persona, está en su derecho de comprobarlo.

Sin embargo, es de una extrema notoriedad que la homosexualidad masculina confiere a quienes la poseen una sensibilidad especial que predispone al refinamiento y al hedonismo.

Estas singularidades le dan una gran facilidad para dialogar socialmente con las mujeres. La decoración de interiores, la peluquería, la belleza femenina, la creación indumentaria son casi su monopolio. ¿Quién puede negarlo?

Pero, al mismo tiempo, es difícil olvidar que, en el ejercicio de estas profesiones, conservan la estructura de su personalidad y que inyectan una parte de sus gustos en sus creaciones más sofisticadas.

La alta costura es uno de los territorios donde son más numerosos. Sin ser los únicos en ese campo, crema y nata de la gran creación, a la que tan bien sirven, refleja su influencia dominante.

Como todos los creadores, deben de tener momentos de duda, de interrogación o de simple replanteamiento. Entonces, escúchenme sin impaciencia. Mi análisis de la evolución de la gran moda, la pompa parisiense que influye al mundo, demuestra que son ustedes sin duda quienes han impuesto el estándar estereotipado del cuerpo filiforme que frecuenta nuestras revistas. Es un signo indiscutible de personalidad. Pero si un acto implica sin duda una perspectiva oculta, esta decisión, tomada en los decorados refinados de sus talleres, demuestra claramente que las curvas femeninas no son para ustedes una necesidad imperiosa.

Sin embargo, y es ahí donde quería llegar, estas curvas tienen un sentido y un papel que parecen olvidar. Tal vez les parezca deseable que desaparezcan de su vista, pero no se borra tan fácilmente del mapa biológico una invención natural que tiene millones de años de antigüedad.

Sé que es difícil encontrar los soportes que consideran adecuados para su creación, y que con gran frecuencia les resulta necesario importarlos. No es la facilidad lo que motiva sus elecciones. Hay que buscar en otra parte.

Personalmente, les he dado ya mi opinión. Los encantos femeninos no están destinados a emocionarlos, y este olvido inconsciente traiciona un poco el fundamento biológico de su concepción estética.

Además, tengo razones para creer que estos encantos obstaculizan la trayectoria de sus senderos creativos. He oído ya personalmente a un gran diseñador confesar que era difícil «vestir a una guitarra». Sin duda es cierto. Una guitarra tiene unas exigencias de curvas que hay que respetar, un modelado impuesto con el que el talento o la astucia no bastan.

Hay que aceptar llegar como segundo a la creación y admitir con humildad que no se es más que el subcontratista de una obra maestra ya existente: la mujer. Esta, en efecto, no los ha esperado para existir, y ustedes le deben por doble motivo el haberles permitido vivir.

Pero sé que no son responsables de las frustraciones femeninas. Aunque pudiera asegurarles que una sola francesa de cada mil está en disposición de introducirse en sus magníficos modelos, no han hecho más que sugerir sus elecciones; nuestra sociedad ha tomado lo que iba de acuerdo a sus necesidades. Pero, ya que estan tan bien situados para sugerir innovaciones, ¿por qué limitar su talento a unos modelos tan extrañamente andróginos? ¿Por qué no aceptar la dificultad de trabajar con lo que existe?

Yo también soy un esteta, puedo expresarles la simpatía que siento por su gusto por lo bello, por sus dones creativos, y veo con rabia en el corazón cómo pasan por alto la esencia misma de otro tipo muy superior de armonía: el cuerpo femenino.

En materia de moda son lo que se ha convenido en llamar líderes. La mayoría de los periodistas especializados tienen permanentemente la vista clavada en ustedes. Cuando estornudan, la prensa se suena la nariz y las mujeres se ponen pañuelos al cuello. Son los déspotas indiscutidos de la seda y del algodón. Depende de la temporada.

Sean generosos, acepten el espléndido desafío de poner en su paleta los verdaderos colores de la mujer y den a sus curvas un alivio cotidiano.

Esta carta abierta es una demanda. Hay un tiempo para sufrir y un tiempo para dejar de sufrir. Creo que la mayoría de las mujeres no han hecho otra cosa que sufrir demasiado la suerte de Tántalo. Es urgente trabajar por ellas.

Pero si, lejos de las realidades cotidianas y del lenguaje carnoso de las curvas de masas, pasan por alto este consejo o este desafío, corren el riesgo de ver la revolución hacerse sin ustedes, de verla llegar de países donde se sabe innovar.

Los hombres las prefieren con curvas, no cabe duda. Sean cuales sean sus preferencias, tal vez haya llegado el momento de «poner luces» a su despotismo dignándose a bajar su mirada sobre el mensaje de las estadísticas.

CARTA ABIERTA A LAS PERIODISTAS FEMENINAS

Esta carta tendrá un lado formal puesto que ya conocen mis argumentos.

Las considero responsables de haber transmitido sin ningún sentido crítico un mensaje llegado de otro lugar.

Ustedes también tienen un extraño poder: el de difundir y amplificar todo lo que pasa por su «boca de oro». Este poder lo han usado hasta la afonía. La redondez, gracias a su celo, ha perdido una gran parte de su antiguo prestigio. Era una prueba inútil de su poder.

Los grandes diseñadores tenían quizás la excusa de la facilidad. Crear sobre cuerpos sin formas evitaba la distracción inherente a los paisajes demasiado ricos en relieves. O, quizá, confundidos en su espléndido aislamiento, habían olvidado que un verdadero cuerpo de mujer se moldea en una masa que sube.

Pero ustedes no tienen esta excusa. Sabían a ciencia cierta que la gran mayoría de sus lectoras no correspondían a los arquetipos cuya opinión martilleaban.

¿No han pensado nunca que, cuando una sola de sus lectoras llegaba a identificarse con las encarnaciones enjutas que pueblan sus revistas, otras mil sufrían hasta el punto de perder la cabeza por ellas? ¿No reciben, pues, nunca correos de esas mujeres frustradas y adoloridas por sus ausencias tan largas de las páginas de las revistas?

Hay ahí un misterio que no me explico fácilmente, y la única razón racional que puedo invocar es que ustedes también eran, para la mayoría, periodistas femeninas, tan intoxicadas como las demás.

He llegado a esta conclusión pues tal vez sean ustedes las que consultan a los nutricionistas con mayor empeño. Cuento entre mi clientela con un número desproporcionado de colegas suyas, lo que demuestra con toda evidencia que ustedes son tan verdugos como víctimas.

Pero hay un terreno en el que han causado verdaderos estragos. Han creado una psicosis total de la celulitis. Han convertido una auténtica afección médica, antiestética, dolorosa, pero rara, en un lugar común generalizado. Hoy esta palabra está tan trivializada que no representa ya un término médico sino el nombre de una cosa.

A menudo pregunto a mis pacientes para saber qué resonancia semántica puede adoptar este término en la mente de una mujer, y he observado que, en nuestros días, no se trata ya de saber si se tiene o no celulitis, ya que el único problema es determinar si se tiene poca o mucha. Lo cual significa expresamente que la psicosis es tal que prácticamente todas las mujeres se ven afectadas.

Esto es grave, y voy a decirles por qué. Han desacreditado de tal modo este término, le han infundido una carga repulsiva de tal tamaño, que hoy sufre más una mujer perfectamente normal por unos pocos centímetros que considera superfluos en los muslos de lo que lo haría por un sobrepeso de diez a quince kilos. Es quizás paradójico, pero es así. No es el peso, no es cualquier volumen, es el que caracteriza al sexo y autentifica a la mujer, y sobre este volumen han lanzado el anatema dándole ese nombre horrible para combatirlo mejor.

Pero esta carta abierta no es requisitoria. Todos somos responsables de las elecciones de nuestra sociedad, y el futuro me importa mucho más que el pasado.

También en ese punto recurriré a la única autoridad que poseo, la que me confiere mi experiencia de nutricionista. Recibo en consulta a mujeres desde hace quince años, y puedo asegurarles que son pocas las que están plenamente satisfechas con su cuerpo, realizadas, o simple y llanamente indiferentes.

El enfoque actual consiste en dirigir la atención hacia el detalle imperfecto volviéndolo doloroso e irritante, y olvidar por completo todo lo que es armonioso y debía ser fuente de confianza. Este clima de perfeccionismo condujo ineluctablemente a una insatisfacción permanente. Hay mucho qué hacer en este campo, en el que ustedes pueden ser de una excepcional eficacia.

Cuando una mujer deja una revista femenina después de haberla leído, sufre una doble frustración. Sus páginas de presentación de la moda, por muy coloridas que sean, no le hacen olvidar a las modelos con las no puede nunca identificarse. Sus páginas de belleza-salud la perturban siempre, pues nunca localizan con suficiente precisión a las lectoras a las que quieren ayudar.

¿No piensan que sus revistas tendrían el mismo tiraje si esta impresión de malestar fuera sustituida por una visión gratificante de la feminidad? Cuando una mujer se levanta temprano por la mañana para ir a trabajar, basta con un simple pequeño cumplido sobre su belleza para que su jornada se ilumine completamente. Algunos maridos encuentran con alegría estas pequeñas palabras que no cuestan nada. Otros se regodean señalando con el dedo el detalle irritante y oculto que ellas querrían olvidar, y el día terminará siendo gris.

Se encuentran ante la misma alternativa, y hasta ahora han elegido señalar siempre con su índice, tal vez bien informado, pero extraordinariamente acusador, en dirección a su lectora.

¿Por qué no intentan ser el bálsamo que necesitan todas esas mujeres cuyas condiciones de vida han cambiado mucho en este periodo coyuntural?

¿Por qué no presentarles la moda con modelos cuyo cuerpo esté más en consonancia con la media de las francesas? ¿Por qué elegir siempre a esas flacas eternas que, mediante una inversión total de la sensatez, acomplejan a nuestras mujeres en lugar de deprimirse ellas por sus tristes encantos?

Por último, ¿por qué repetir siempre esas viejas recetas que pican para rascarse hasta el hueso? ¿No creen que ha llegado el momento de olvidar la celulitis o de dejarla para aquellas que de verdad la tienen?

¿Y sus artículos sobre las estrías, sobre la pérdida de cabello, las pieles secas, los pies planos, los pechos que se caen, los rostros que envejecen? No dejen nunca más que la duda se cierna sobre todas aquellas que se hacen preguntas y se sienten más o menos afectadas. Apunten bien y aparten a las otras de su propósito. Harán muy felices a las que hayan resuelto el problema con sus consejos.

Se dice prosaicamente que es difícil estar al mismo tiempo en misa y repicando. Ustedes están en misa, yo estoy repicando y observo ahí donde ustedes no están. Me dirijo en concreto a aquellas con las que conversan en la imaginación, y por esta razón he recurrido a esta carta abierta para sugerirles que inicien un giro. Y puedo asegurarles que la mayoría de las mujeres sufren por tener curvas, por una redondez que no podrán extirparse nunca, pues les pertenece. Se les puede hacer adelgazar a voluntad, se puede, si no hay más remedio y con mayor dificultad, tratar su celulitis, pero sus curvas naturales son uno de sus órganos. A nadie se le ocurriría nunca cortarse un brazo para adelgazar.

Desde hace veinte años se les sugiere que adelgacen para perder esas formas, símbolos y marcas de su feminidad. No han conseguido borrar sus curvas, pero las han acomplejado, frustrado y han mermado la confianza que tenían en sí mismas.

El papel de ustedes, hoy, es devolverles esa confianza perdida, esa alegría de vivir y las ganas de repoblar mentalmente esas curvas ineluctablemente llevadas, pero nunca aceptadas. Es muy posible que la primera revista que se atreva a comenzar asegure su posición de líder, aumente su tiraje y reciba además la bendición de todos los hombres que las prefieren con curvas.

CARTA ABIERTA AL *PRÊT-À-PORTER* FEMENINO

Me dirijo también a ustedes, aunque sin esperar que me escuchen. No es que sean por naturaleza menos sensibles que otros a las dificultades femeninas. Pero creo que son un cuerpo con vocación exclusivamente económica y su lógica es la de la producción. Por tanto, no es útil invocar para ustedes razones biológicas, humanitarias o estéticas. Hablemos de negocios.

Y hago de inmediato una observación sorprendente: existe un mercado del *prêt-à-porter* femenino del que son ustedes los proveedores registrados. En ese mercado y por razones de las que no son responsables, se pueden diferenciar tres tipos muy distintos de compradoras.

El primer grupo representa el estereotipo de la mujer maravillosa, dispuesta a seguir a la primera señal los menores sobresaltos de la moda. Está a la vanguardia por vocación. Cualquiera que sea su edad, es joven de espíritu. No se puede afirmar que tenga una personalidad muy marcada, pero es alegre, frívola y a menudo guapa. Además, se identifica fácilmente con los arquetipos de la feminidad actual. Esas mujeres son poco numerosas y representan una parte muy escasa de la población.

Un segundo tipo agrupa a las clásicas, que se han resignado a abandonar la moda. Conservan de ella un vano pesar, pero han preferido considerarla a partir de entonces como una curiosidad un poco fútil. Es el grupo de las madres de familia serias y sobrias, que siempre aparentan tener más edad de la que tienen. La mayoría de estas mujeres tienen curvas que ocultan y que a menudo están en el origen de su «jubilación» anticipada. Es la mayoría silenciosa.

La tercera es la «provocativa»: es la curvilínea «sexy» y orgullosa de serlo. Sabe a ciencia cierta que sus curvas son una ventaja y de modo muy especial en una sociedad donde la mayoría de las bien proporcionadas en este campo no se atreven ya a salir. Entonces usan y abusan de ellas, hasta tal punto que puede sucederles que se vuelvan vulgares.

Pechos muy llenos y ceñidos hasta la indecencia, caderas y muslos apretados en un vestido de tubo mucho más revelador que un bikini. El clima es de provocación.

Ustedes conocen su mercado sin duda mucho mejor que yo, y estas tres categorías de mujeres debieron ser estudiadas desde hace tiempo por sus especialistas en marketing.

Sin embargo, no me explico que hayan decidido centrar el grueso de sus esfuerzos en el grupo más restringido. Todos sus presupuestos publicitarios, su estilismo, sus inversiones en lo novedoso y arriesgado, todo eso está reservado al primer tipo. ¿Será que han descubierto en él un poder adquisitivo sobradamente compensador? Permítanme que lo dude. ¿Saben que a la clásica y a la «sexy» les cuesta vestirse y llevan desesperadamente los mismos horrores o las mismas baratijas?

Sé que no es un argumento que les convenza, pero no puedo menos de manifestar que estas mujeres sufren. Unas en silencio, entregándose deliberadamente al «viejo juego», otras gritando a su manera, es decir, prefiriendo jugar sus cartas con lo que ponen de manera tan parsimoniosa a su disposición.

Conozco de antemano su respuesta, pues ya he planteado la cuestión a gente de su gremio. No son responsables de los arquetipos, lo reconozco. No han impuesto esos cuerpos asexuados y delgados, es cierto. Lo lamentan, les concedo difícilmente ese modesto escrúpulo, pero quiero sin duda creerles. Pero entonces, ¿cómo explicar toda esa codificación sistemática de las tallas prohibitivas, esos modelos estrictamente reservados, esos estilos impedidos, que no son nada más que inútiles torturas extremas para encerrar y aislar a la mayoría de nuestras mujeres? Dan la sensación de ser un club privado que recluta a sus miembros en las esferas de la marginalidad morfológica.

¿Será preciso enseñar indefinidamente la piernita delgada para poder vestirse decentemente? Y si la preocupación por el igualitarismo huye abiertamente ante su pragmatismo de hombres de negocios, ¿por qué la ley del número no iba a tener peso en sus preocupaciones económicas?

En términos de mercado, de prospección y de marketing, han desatendido a una gran parte de su público femenino. Un simple esfuerzo de imaginación, un ligero aflojar la rienda a sus creativos que están a la espera de la señal, unos centímetros más en el lugar adecuado, costuras que se cierran y se abren siguiendo los movimientos de un cuerpo normalmente constituido; en una palabra, una mirada nueva sobre la mujer de siempre y estaremos ante nuevas compradoras que no darán crédito a sus ojos. Si hay entre ustedes algunos hombres que tengan todavía recuerdos de alcoba y se inclinen por obtener beneficios juiciosos, que se unan y que se aseguren de dar una nueva pulsión de vida a un gremio que comienza a estancarse en una triste ortodoxia.